Pierre Martinez

LA DIDACTIQUE DES LANGUES ÉTRANGÈRES

Huitième édition mise à jour
25e mille

Que sais-je ?

À lire également en

Que sais-je ?

COLLECTION FONDÉE PAR PAUL ANGOULVENT

Jean Perrot, *La Linguistique*, n° 570.
Jacqueline Vaissière, *La Phonétique*, n° 637.
Gaston Mialaret, *Les Sciences de l'éducation*, n° 1645.
Sylvain Auroux, *La Philosophie du langage*, n° 1765.
Claude Hagège, *La Structure des langues*, n° 2006.
Louis-Jean Calvet, *La Sociolinguistique*, n° 2731.
Michèle Kail, *L'Acquisition de plusieurs langues*, n° 4005.

ISBN 978-2-13-079964-1
ISSN 0768-0066

Dépôt légal – 1re édition : 1996
8e édition mise à jour : 2017, novembre.

170 *bis*, boulevard du Montparnasse, 75014 Paris

Introduction

Les besoins de communication entre individus qui ne parlent pas la même langue n'ont jamais été aussi grands. C'est le cas, par exemple, dans notre environnement géopolitique, avec les progrès de l'Union européenne et l'ouverture des frontières à l'Est du continent, les flux touristiques et commerciaux dans un réseau désormais globalisé des échanges (la Chine notamment s'ouvre la porte de l'Afrique), ou encore les migrations de population, libres ou contraintes.

Le recours à une seule langue véhiculaire (l'espéranto, l'anglais ou autre) est loin de faire l'unanimité et suscite des objections qui ne sont pas dénuées de justesse. La traduction est une nécessité absolue pour les sciences, les techniques, le maintien de la diversité culturelle.

Alors, parce qu'il est difficile d'apprendre une langue étrangère, il semble naturel et nécessaire de se demander comment en améliorer l'enseignement. Plus que jamais une réflexion sur la didactique va s'imposer à tous ceux que préoccupent la communication humaine et son possible perfectionnement. Cette 8e édition de notre ouvrage voit apparaître de larges modifications. La mondialisation culturelle accélérée, le débat sur le plurilinguisme, le recours croissant à des moyens technoscientifiques dont la portée ne pouvait être assurée il y a peu, tout cela rend la question didactique encore plus stimulante.

Le terme *didactique* n'est bien entendu pas réservé au domaine des langues : il a pour signification étymologique, comme adjectif d'abord, « propre à instruire » (du verbe grec : *didaskein*, enseigner). Le substantif recouvre *un ensemble de moyens, techniques et procédés qui concourent à l'appropriation, par un sujet donné, d'éléments nouveaux* de tous ordres. Parmi ceux-ci, on pourra discerner :

- des *savoirs*, bien sûr, le lexique, la grammaire, les éléments et les règles de fonctionnement de la langue ;
- des *savoir-faire*, des moyens pour agir sur le réel, pratiquement (manières d'ordonner, d'approuver, de se présenter, d'informer, etc.) ;
- un *savoir être*, des comportements culturels souvent indissociables de la langue, car inscrits dans la langue même : ainsi, dans toutes les langues, la ritualisation du discours emprunte des traits spécifiques (paroles apparemment inutiles, formes de politesse), correspondant à des valeurs, un code social déterminant pour l'échange interculturel.

Dans cet ouvrage, le terme « apprenant » se rencontre là où on attendrait le terme plus commun « élève ». Ce n'est pas par goût du jargon. Le substantif « enseignant » étant devenu d'un usage courant, on prendra d'ailleurs facilement l'habitude de ne pas parler d'élève, individu inscrit administrativement, mais d'apprenant, placé dans une certaine situation, dans une posture d'apprentissage. Quant au mot « enseigné », venant en contrepoint d'enseignant, il ne correspondrait en rien, avec sa valeur passive, aux processus dont l'apprenant est l'acteur.

C'est donc dans l'espace social existant que se développe, entre l'enseignant et celui qu'on appellera désormais l'apprenant, un « enseignement/apprentissage » de l'objet en circulation : une langue étrangère. Une idée simple, mais fondamentale, est qu'il existe une inégalité de compétence entre les partenaires du processus, l'enseignant sachant beaucoup et l'apprenant sachant moins. Mais l'enseignant n'est jamais qu'un « facilitateur » de l'*appropriation*, du processus qui vise à assimiler un objet linguistique en l'adaptant à ce qu'on veut en faire. Ce travail ne peut être effectué que par l'apprenant, et l'enseignant n'est en aucun cas le centre du processus d'appropriation, quelle que soit la méthodologie de l'enseignement adoptée.

Par ailleurs, la didactique se distinguera de la *pédagogie*, activité impliquant une relation entre l'enseignant et l'apprenant, qui met l'accent sur les aspects psychoaffectifs et non sur la mise en œuvre des moyens d'enseignement. Cette relation n'est toutefois pas sans incidence sur la qualité des acquisitions, mais elle peut avoir d'autres finalités. L'apprentissage d'une langue dépasse l'appropriation d'éléments linguistiques et le développement de compétences, il contribue à la construction de l'individu, par exemple comme adulte ou comme citoyen. Comme le terme « éducation » d'ailleurs, « pédagogie » évoque, étymologiquement, un parcours (grec : *agogein*, conduire) qu'on fait faire à un enfant (*pais*, *paidos*) et certains auteurs parlent d'andragogie (*aner*, *andros*, homme) pour désigner la formation des adultes.

On verra que la pédagogie et d'autres sciences ou domaines scientifiques tels que la linguistique, la psychologie, la sociologie, les sciences cognitives, la technologie, etc. éclairent le champ de la didactique des langues étrangères : elles contribuent à la fonder comme discipline théorique, comme désignation académique et comme communauté de pratiques de recherche. Elles nous font aussi comprendre que les nouvelles interrogations ne peuvent se satisfaire de réponses étriquées. Ainsi les débats contemporains ont-ils mis en lumière que la question « Qu'est-ce qu'apprendre une langue ? » présuppose une autre question « Qu'est-ce que savoir une langue ? ». Et c'est de la définition de ce « savoir » que vont dépendre les objectifs de l'apprentissage et les moyens de sa réussite. Il s'agit donc de faire des choix et d'amener l'acte d'enseignement à échapper au hasard et au contingent.

La didactique ne peut par conséquent se concevoir qu'à travers un ensemble d'hypothèses et de principes qui permettent à l'enseignant d'optimiser les processus d'apprentissage de la langue étrangère. On appellera *méthode d'enseignement* cette démarche raisonnée qui découle d'hypothèses et de principes :

- hypothèses, par exemple, relatives au mode de travail proposé ou imposé. De la sorte : apprendre par cœur est bénéfique, mais ne suffit pas ; un enseignement efficace doit être répétitif, il doit donc être spiralaire, revenir sur les acquis pour les réactiver ; l'acquisition d'automatismes est une bonne chose, mais elle doit laisser jouer toutefois une créativité du sujet parlant, etc. ;
- principes dérivant de ces hypothèses : on choisira d'organiser des groupes de travail pour développer la socialisation et le besoin de communiquer, pour ne pas laisser les apprenants sans contacts entre eux, dans une relation verticale avec l'enseignant ; ou encore des phases d'expression libre alterneront avec des phases centrées davantage sur la structuration et la fixation des acquis, etc.

La *méthodologie* visera donc à dégager l'architecture et les raisons des choix opérés dans des contextes didactiques variés, face à des apprenants différenciés par leur personnalité, leur histoire, leurs attentes, leurs objectifs.

On fera par commodité l'économie des termes « didactologie » (Galisson) ou « didaxologie » (Swiggers), qui ont été proposés pour distinguer la réflexion sur la didactique et le domaine d'application lui-même, et on désignera par « didactique » à la fois les aspects théoriques et pratiques de l'enseignement des langues étrangères. Le monde anglophone dit d'ailleurs *Language Learning and Teaching*.

Enfin, on sera amené à distinguer une didactique de la langue maternelle – on dira de préférence langue première – et une didactique des langues étrangères ou secondes : elles renvoient à une histoire (c'est-à-dire une constitution scientifique, des institutions, une recherche) et surtout à des conditions de mise en œuvre (un processus et un environnement d'apprentissage) qui ne sont que très partiellement les mêmes.

C'est à un questionnement de ces mots clés qu'est consacré le volume. On ne trouvera dans les chapitres suivants ni un manuel pour la classe ni l'éloge d'une éventuelle pensée dominante en didactique, mais des outils pour mieux comprendre ce que représente le fait d'enseigner une langue étrangère et ce qu'il représentera à l'avenir.

Nous partirons de l'étude d'une problématique globale – processus d'apprentissage et processus d'enseignement dans leur interaction – pour analyser, dans un deuxième temps, les méthodologies qui ont compté en didactique, jusqu'aux courants récents. Pour les contextes socioculturels qui nous sont proches, ceux-ci sont inscrits dans une approche communicative, dans une perspective actionnelle, ou encore dans un *Cadre européen commun de référence* sur lequel nous reviendrons plus loin. Un certain nombre de questions importantes seront ensuite examinées, telles que la grammaire, l'évaluation, la culture ou encore la définition du curriculum. Toutes soulignent l'importance de l'environnement technoscientifique actuel. Les informations apportées sur ces questions donneront au lecteur, nous l'espérons, les moyens de se construire une opinion, de manière éclairée et critique, sur les perspectives qui s'ouvrent à un domaine en pleine évolution.

Au fil des pages, certaines références sont simplement signalées (nom, date). Ceux et celles qui, comme nous l'espérons, voudront aller plus loin, trouveront sans peine des compléments sur Internet. On disposera donc, en fin de volume, d'une bibliographie volontairement brève.

Les mots clés de la didactique des langues étrangères

Testez vos connaissances avant et après lecture de cet ouvrage.

Acquisition, Acte de parole, Apprenant, Apprentissage, Approche actionnelle, Approche communicative, Audio-visuel, Autonomie.

Besoins, Bilinguisme.

Cadre européen commun de référence pour les langues (CECRL), Classe, Cohérence, Communication, Cognition, Compétence, Contextualisation, Corpus, Culture, Curriculum.

Démarche, Didactique, Discours.

Écrit, Éducation, Enseignant, Enseignement général, Enseignement sur objectifs spécifiques, Environnement d'apprentissage, Erreur, Évaluation, Éveil aux langues, Exercice.

Faute, Formation.

Grammaire.

Interaction, Intercompréhension, Interculturel, Interlangue.

Langage, Langue, Langue première, Langue seconde, Langue étrangère, Lexique, Linguistique, Littérature.

Manuel, Médiation, Métalangue, Méthode, Méthodologie, Migration, Motivation, Multilinguisme.

Nano-Biotechnologies, Informatique et Communication (NBIC), Norme, Notionnel-fonctionnel.

Objectifs, Oral.

Pédagogie, Phonétique, Plurilinguisme, Politique linguistique, Pragmatique, Programme, Progression, Projet, Prononciation.

Répertoire, Représentations.

Situation, Société, Stratégies.

Traduction automatique, Transposition didactique.

Unité didactique.

CHAPITRE PREMIER

La problématique de l'enseignement

En didactique, l'individu, la société et les langues entrent en jeu dans une relation qui n'échappe pas aux règles de la communication humaine. L'enseignement des langues étrangères ne peut, en effet, être examiné que comme une forme d'échange communicationnel : enseigner, c'est mettre en contact, par le fait même, des systèmes linguistiques, et les variables de la situation touchent tant à la psychologie de l'individu parlant qu'à un fonctionnement social en général. On se met à apprendre une langue, on l'acquiert et on la pratique dans un contexte biologique, biographique et historico-culturel.

Il n'est pas sûr que tout soit objectivable, donc utilisable ensuite dans l'action. Mais la position de la didactique est d'abord une recherche d'informations et, dans la mesure du possible, une prise en compte de tout ce qui peut aider à faciliter l'apprentissage. C'est une position prudente et lucide, mais optimiste, qui s'impose à nous.

I. – Le champ de la communication

Le simple fait de communiquer par le langage engage toute la personne, c'est-à-dire un individu avec ses expériences antérieures, son adhésion à des croyances et des valeurs culturelles et intellectuelles, ses motivations et les finalités de son entreprise.

Une communication dans le champ didactique est donc un système de systèmes, une interaction entre des personnes, des contenus, un contexte social, etc. C'est pourquoi il semble bon de rappeler dans ses grandes lignes le fonctionnement de la communication. Trois formalisations – modélisations ou schématisations de la réalité – ont le plus souvent été retenues par les didacticiens : le schéma de Roman Jakobson, les théories de l'information, l'ethnographie de la communication. Elles nous conduiront à proposer personnellement une vision intégrative des choses.

(a) Le *schéma de Jakobson* a été largement vulgarisé et, malgré sa simplicité, il continue à rendre compte d'une manière peut-être limitée, mais efficace, d'une théorie générale transposable à la didactique. Il y a transfert d'information, écrit Jakobson, entre un émetteur (ou destinateur) et un récepteur (ou destinataire) par l'intermédiaire d'un message constitué de signaux, émis avec une intention, mis en forme à l'aide d'un code ou ensemble de règles (la langue, par exemple) et circulant par un canal (les moyens techniques employés, autorisant une mise en contact physique et psychologique à la fois). Sera désigné comme référent du message ce dont il parle, le « contexte » ou les objets réels auxquels il renvoie.

La transposition didactique des conceptions de Jakobson a pu donner lieu à des critiques, mais elle permet de souligner des faits intéressants, comme la dissymétrie des partenaires dans la communication, la difficulté d'interpréter où se trouve placé l'observateur étranger et l'importance du référent. Il n'y a rien d'étonnant à ce que le schéma ait suscité une réflexion propre à la didactique. Celle-ci a porté :

– sur la description de situations d'enseignement habituelles à la classe. La compréhension des échanges complexes qu'on y observe en a bénéficié ;

– sur l'analyse de situations extérieures à la classe et de productions littéraires ou sociales appartenant à des genres admis : roman autobiographique, discours politique, texte scientifique, poésie, etc. Ce type d'activité a pu ainsi caractériser un enseignement qui ne s'ouvrait plus seulement au système de la langue, mais aussi à la parole sociale ;
– sur une meilleure analyse du malentendu inhérent à la communication humaine qui ne tient pas qu'à nos humeurs et à notre volonté, mais aussi à des facteurs variés : code seulement en partie commun aux interlocuteurs, effet de la connotation que chacun donne au message, nécessité de la redondance dans une économie du discours magistral, erreurs d'encodage ou décodage affectant le dispositif, à l'oral comme à l'écrit (c'est une justification souvent donnée à la fixation du code écrit, qui est l'orthographe…), etc. (Kerbrat-Orecchioni, 1990).

(b) Un courant d'influences, auquel Jakobson lui-même n'est pas insensible, joue sur la façon dont nous nous représentons la communication. Il emprunte aux théories de Shannon et Weaver (1939, 1948) sur *les* communications, à la cybernétique de Wiener et aux *théories de l'information*. L'idée est de chercher à modéliser mathématiquement la transmission d'informations et vise globalement à répondre aux questions : « Qui dit quoi, à qui, par quels moyens, avec quels résultats ? » (Laswell, 1948). Dans tous les cas, l'objectif est le transfert d'un message, à l'aide de « répertoires » plus ou moins communs, avec des ajustements que permettent, dans l'échange, les retours d'informations. Des perturbations techniques, organisationnelles et sémantiques (« bruits ») sont à l'œuvre dans le système. La théorie de l'information, qui met en relief l'inégalité des interlocuteurs (en l'occurrence, enseignant et apprenant), souligne aussi

l'intérêt des notions de probabilité et d'incertitude dans les effets produits par le message sur les partenaires de l'échange : le processus d'information, mesurable, vise à réduire une incertitude partielle ou même totale, ici à combler une ignorance chez l'apprenant. Il rend possible un apprentissage, une adaptation à la situation à laquelle est confronté l'apprenant.

(c) Mais on voit bien que ce type de modélisation invite à développer la réflexion dans d'autres directions, par exemple celles de sciences humaines comme les sciences cognitives, la psycholinguistique et l'anthropologie sociale. Le langage indéniablement attaché à une expérience collective (Sapir, 1953), la manière personnelle dont l'individu « interprète » les signes de la langue (Peirce, 1932) sont autant de raisons d'approfondir :

- la question du sujet dans la communication (son cadre de référence, ses attitudes dans l'échange, sa capacité à s'identifier à l'autre, etc.) ;
- celle des règles et normes régissant la communication ;
- celle des rôles et places de chacun dans l'interaction.

C'est pourquoi l'étude des groupes humains dans leur particularité culturelle, objet même de l'*ethnographie*, amène les chercheurs à définir d'autres modèles *de la communication*. On isole ici pour le lecteur quelques propositions, dans le mouvement de ce qu'on a appelé « la nouvelle communication » (Winkin, 1991).

C'est un modèle proposé par Dell H. Hymes en 1974 qui nous aidera à voir plus clairement la scène de la communication langagière. Présenté sous l'acrostiche largement connu *Speaking*, il fait intervenir la situation, en termes physiques comme psychologiques (*Setting*) ; les participants (*Participants*) ; les buts projetés et les buts atteints (*Ends*) ; les séquences d'actes (*Acts*) avec leurs contenus et leurs formes ; les tonalités, le ton adopté (*Key*) ; les instruments, codes et canaux, moyens de la communication (*Instrumentalities*) ; les normes socioculturelles d'interaction ou d'interprétation (*Norms*) ; les genres ou types d'activité (*Genres*) : conversation, conte, récit, etc. Cet élargissement du cadre conceptuel amène à souligner combien l'acte de parole est un acte social complexe qui excède une compétence grammaticale et tisse un réseau de dépendances à analyser et à prendre en compte globalement.

Comme l'a indiqué le sociolinguiste Fishman, quand il étudiait le statut de langues autres que l'anglais dans les groupes ethniques et religieux aux États-Unis, ces relations vont du langage aux groupes de valeurs les plus hauts d'une communauté. Elles passent par le moment de la parole, le lieu où elle est prononcée, les relations de rôles que se donnent les participants, le type d'interaction qu'ils conduisent. Et tous ces paramètres sont inscrits dans une situation sociale et sont définis en partie par le comportement de la communauté. C'est bien ce qui apparaît quand on observe, par exemple, des alternances codiques, des changements de langue dans un bureau à Porto Rico, où l'on parle anglais et espagnol, ou sur les marchés d'une ville africaine, ou encore en milieu scolaire. Il n'est pas sûr qu'on puisse toujours – pour prévenir ou corriger ce qui se passera en classe – tenir compte de toutes les données, mais il semble exclu qu'on puisse ignorer qu'elles ont des effets.

Dans la mesure où il existe visiblement des manières d'apprendre différentes selon les individus, on s'est demandé par ailleurs si cette caractérisation ne relève pas elle aussi, au moins en partie, de leur culture d'origine. La communication exolingue elle-même – celle où l'un au moins des interlocuteurs ne s'exprime pas dans sa langue maternelle (Porquier, 1984) – atteste en effet d'une *variation culturelle* qui prend des aspects très divers.

Cette variation touche, bien sûr, au matériau sémiotique utilisé, qui est la langue, mais aussi au paraverbal et au non-verbal : la posture, la mimique, la gestualité et l'espace. La représentation même de l'espace et du temps fait aussi question : prééminence des marques de l'aspect verbal (l'action commence, dure, se répète, etc.), inexistence de temps du passé, position du sujet et de l'objet, etc. Il y a une « thématisation » du réel, différente, qui fait dire en anglais *Men at work* et en français « Attention, travaux », et dans de nombreuses langues quelque chose comme « c'est fini, pour moi » plutôt que « j'ai fini ».

La variation culturelle affecte encore les routines et les rituels (formules d'adresse, salutations impliquant la santé et la famille, remerciements), les actes de langage (refuser ne se marque pas partout de la même façon). C'est, au sens large, toute la planification du discours et sa progression, avec sa signalisation, sa « ponctuation » verbale qui permettrait de se repérer, et aussi les règles de la conversation (ouverture, maintien, synchronisation, tours de parole et chevauchements, clôture) qui apparaissent comme hautement culturalisées (Kasper, Blum-Kulka, 1993).

On le voit, c'est, en somme, la variation qui est la règle. Pour communiquer dans une langue étrangère et pour l'apprendre, on ne peut pas s'en tenir à la stricte description du système linguistique. En classe, rester silencieux ou ne pas regarder l'enseignant dans les yeux ne révèle pas forcément qu'on ne sait pas ou ne veut pas répondre, mais peut renvoyer à un code implicite.

Bien sûr, connaître toutes ces « dimensions cachées » (Hall, 1966) ne doit pas conduire à des clichés, à des stéréotypes et faire oublier la variation individuelle. La relation libre des interlocuteurs, leur intersubjectivité (terme que Heidegger utilise pour interculturalité) devraient interdire toute systématisation abusive et, en tout cas, rendre prudent s'il doit s'agir d'enseigner des traits culturels repérés (voir chapitre IV, « Culture et civilisation »). Mais, parce que ces dimensions préexistent à l'utilisation de la langue et à son apprentissage, une solide étude de la communication, appuyée par des données externes sur l'apprenant et sur le milieu, qu'il s'agisse d'une salle de classe traditionnelle ou d'un environnement technologique numérique, nous paraît un préalable à l'élaboration d'une didactique.

Nous sommes donc en mesure de proposer un modèle de la communication exolingue, un modèle pluridisciplinaire qui peut répondre à la complexité de la scène pédagogique.

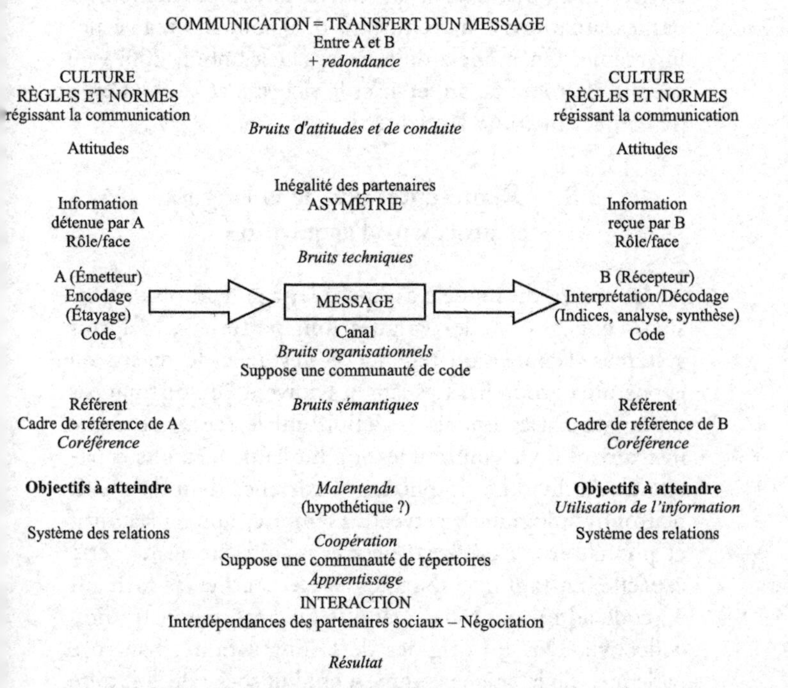

Un modèle panoramique de la communication en classe de langue

L'ensemble des termes du modèle représente la complexité de l'échange exolingue : distinction apprenant/enseignant volontairement réduite (on se met « à la place de »...), inégalité (par exemple, de position hiérarchique, mais surtout de compétences des partenaires), règles, attitudes, rôle, « face » à conserver, relation positive (impliquant la coopération mais, en fait, une négociation permanente), objectifs de l'échange, éventuel(s) malentendu(s), économie de l'échange, caractérisée par la redondance (la communication pédagogique est répétitive), etc. On ne développera pas ici l'ensemble des termes en jeu, mais on laissera au lecteur le soin d'exemplifier par les situations d'apprentissage qu'il connaît ou a vécues lui-même. Un modèle didactique (Delcambre, 2007) ne saurait, de toute façon, épuiser la richesse et la polysémie de ce qui constitue la réalité de la classe.

II. – Représentations de la langue et processus d'acquisition

Au centre du modèle s'impose l'usage d'un ou de plusieurs codes, dont les langues font partie avec d'autres systèmes d'expression tels que la gestuelle, le regard ou la posture corporelle. Les langues doivent être distinguées du langage. Les linguistes définissent le *langage* comme instrument de la communication humaine lié à une capacité de l'individu et impliquant l'existence d'un dispositif neurophysiologique : cerveau, mémoire, appareil auditif et phonatoire... La *langue* est la manifestation de cette capacité, en tant que système de signes articulés formant un code admis par tous, c'est dire qu'il est une institution collective. Dès les origines de la linguistique, Saussure parle bien de la langue comme « produit social de la faculté du langage et ensemble de conventions nécessaires, adoptées par le corps social pour permettre l'exercice de cette faculté chez les individus ».

L'enseignement des langues présuppose donc à la fois une théorie du langage et une analyse des systèmes linguistiques à enseigner, car la représentation de l'un et de l'autre influence, quand bien même on voudrait faire l'économie d'une réflexion sur ce point, la conception de l'enseignement.

III. – Les théories du langage et leurs implications

La psychologie moderne et la psycholinguistique nous proposent plusieurs grandes manières d'envisager la question du langage.

(a) Les *théories mécanistes* font de l'activité langagière « le résultat d'une chaîne de réactions matérielles de cause à effet » (Mackey, 1972), un produit, sans doute complexe, de notre présence au monde. Cette activité comportementale a été schématisée dans la formule « stimulus-réponse-renforcement » (Skinner) et évoque le fameux réflexe conditionné du chien de Pavlov. Elle évacuerait dans sa forme extrême l'hypothèse d'une fonction symbolique du langage humain et ferait envisager l'apprentissage comme une situation optimale pour la production de réponses automatisées. Un stimulus suscite une réponse (réaction par association, par exemple : en français « il faut que » entraîne un mode subjonctif). La répétition de ce processus crée un renforcement et, par une véritable « sédimentation », la naissance d'un automatisme. L'appropriation d'un élément linguistique permet alors, en principe, de le réintroduire sans effort.

(b) Les *théories mentalistes ou néo-rationalistes* insistent, elles, sur le caractère « naturel » de l'acquisition de la

langue première. L'existence de capacités innées qui seraient spécifiques à l'espèce humaine et à l'apprentissage linguistique (pour Noam Chomsky, un « dispositif d'acquisition du langage ») autoriserait, par induction et à partir de la parole en circulation dans le milieu extérieur, l'émergence d'une compétence, la construction d'un système de règles intériorisé et à validité « universelle ».

Deux hypothèses, moins radicalement en conflit, ont encore marqué la réflexion actuelle.

(c) D'abord la *théorie « constructiviste »* de Jean Piaget : s'il y a dispositif, c'est un dispositif cognitif général et le développement du langage doit être traité comme celui de la fonction de représentation propre à l'espèce humaine dans son ensemble. Il manifeste donc à la fois l'importance de facteurs internes, biologiques, et une forte intégration à la construction progressive et globale de l'individu dans ses rapports avec son milieu.

(d) En deuxième lieu, la *perspective sociocognitive* adoptée par le psychologue biélorusse Vygotsky : sans nier que « les formes supérieures de comportement culturel ont des fondements naturels », il montre comment des « schèmes représentatifs » se bâtissent chez l'enfant dans l'interaction avec le milieu physique, de même que des « schèmes communicatifs » le font au contact du milieu social. Parmi les travaux qui continuent encore à éclairer ces questions (*Pensée et Langage*, de Vygotsky, date de 1935), citons également ceux de Leontiev (*Activité, Conscience, Personnalité*, Moscou, 1964) et ceux de Bruner (*Le Développement de l'enfant : savoir faire, savoir dire*, 1983).

On fait souvent référence à un autre concept élaboré par Vygotsky, celui de « zone proximale de développement ». L'expression désigne la « différence entre le niveau de résolution de problème atteint avec l'aide d'adultes et celui atteint seul ». Elle autorise à « modéliser l'acquisition comme une dialectique entre un mouvement autostructuré et un mouvement d'hétérostructuration constitué à travers les interventions par lesquelles l'interlocuteur natif s'efforce de guider l'apprenant et de canaliser son travail de formulation », ce qui est une assez bonne description des coulisses de la scène didactique (Py, 1994).

Ces travaux, qui ont porté en particulier sur le passage du langage intériorisé à la pensée ou sur la facilitation du développement, nous font approcher des processus encore mal élucidés. Par exemple, la suppression de la verbalisation, qui est une contrainte éducative (on ne réfléchit pas à haute voix en classe), pourrait bien être un frein à l'apprentissage (Janitza, 1990). C'est pourtant notre connaissance de cet environnement sociocognitif qui devrait déterminer, du moins en partie, la mise en œuvre d'une didactique.

On concevra, cependant, que, si la didactique n'est en aucun cas une sorte de résultat d'une théorie du langage, elle peut y puiser les hypothèses dont elle a besoin. Elle trouve d'ailleurs, dans ces hypothèses souvent divergentes, des réponses, mais plus souvent encore de nouvelles questions. Des problèmes comme celui du conditionnement biologique du « processeur linguistique » de l'apprenant (l'équivalent de la « quincaillerie » informatique, si l'on veut, par rapport au logiciel, Klein, 1989), la question des attitudes et des motivations face à la langue seconde ou encore celle de l'âge le plus favorable à l'acquisition, sont mis régulièrement sur la sellette, et les didacticiens observent avec intérêt les activités de leurs collègues cognitivistes. On commence aussi à en savoir plus long sur la façon dont on apprend en communiquant, à travers par exemple ce qu'on appelle une « coréférence » (on comprend plus vite si le cadre conceptuel est déjà familier) ou encore en devinant la pensée d'un interlocuteur, en lui attribuant un « vouloir-dire » (Grice, 1957), des états d'esprit ou des intentions (Sperber, Wilson, 1989). Dans tous les cas, « les présupposés culturels et les connaissances contextuelles des interlocuteurs créent, pour chacun d'eux, une sorte de filtre, à travers lequel passe le langage » (Perdue, 1984). Toutes ces questions, restant ouvertes, ne peuvent laisser indifférent qui s'occupe de didactique.

IV. – L'ancrage social des langues

Comme les monnaies, les langues ont des valeurs. Il y a une « économie des échanges linguistiques » (Bourdieu, 1982), qu'il n'est pas sans effet de connaître, car enseigner ou apprendre, c'est aussi *commercer* (le commerce, c'est aussi, au sens classique, les relations, l'échange). Quelques définitions s'imposent.

On appellera *langue première* (L1) d'un individu tout simplement celle qu'il a acquise en premier, chronologiquement, au moment du développement de sa capacité de langage. Il faut se défendre, en l'occurrence, d'établir un rapport entre l'importance que revêtirait cette langue pour la société d'appartenance et l'adjectif. « Première » ne signifie pas la plus utile ou la plus prestigieuse, et « seconde » (L2) ne voudra pas dire « secondaire ». Comme le milieu de la petite enfance est en général lié à la mère, la langue première est dite souvent *maternelle*, quoique des sociétés existent où les contacts avec d'autres membres du groupe sont déterminants. Cette désignation a donc une valeur psychoaffective et elle implique une reconnaissance, une adhésion, donc une subjectivité, qui ne rendent pas aisé son emploi.

Sera donc, par ailleurs, *langue seconde* pour le même individu toute langue qu'il aura apprise ensuite, par exemple à l'école et non plus dans le milieu proche où il a été élevé. C'est cette acception que retiennent les études menées sur l'apprentissage (Klein, 1989). Notons que cette opposition langue première/langue seconde peut recouvrir celle de « vernaculaire »/« véhiculaire ». Le vernaculaire est une langue (ou une variété telle qu'un dialecte), utilisée au foyer familial, à la maison, tandis que le véhiculaire dépasse le cadre de vie d'une communauté linguistique et répond à un besoin social d'intercommunication entre groupes dotés de vernaculaires spécifiques. L'espagnol, l'anglais, le français, bien sûr, jouent ce rôle, tout comme les créoles dans la Caraïbe ou l'océan Indien, ou le lingala en Afrique.

Dans une autre acception, « langue seconde » prend un *sens collectif*. On implique alors une position particulière de cette langue, officiellement ou de manière tacite. On parle parfois de statut spécial, d'un fonctionnement social et d'une situation culturelle privilégiée (Dumont, Maurer, 1995), liée par exemple à une histoire coloniale et un environnement favorable : une « logistique » médiatique, scolaire, administrative, commerciale qui favorise l'emploi de la langue seconde (Cuq, 1989). C'est le statut du français dans plusieurs pays d'Afrique ou dans les départements et collectivités d'outre-mer, Antilles, Guyane, Réunion, Polynésie, etc. Dans plusieurs cas, la langue seconde a accédé à l'appellation de « langue officielle » à côté ou à la place des langues nationales (anglais en Afrique orientale, français en Haïti). Il faut souligner le rôle que joue la langue seconde pour le développement psychologique et cognitif des individus dans de tels contextes (Martinez, 2002).

Ces questions de statut seront particulièrement importantes dans des cas de *diglossie*, caractérisée par l'inégalité sociale des langues ou variétés en présence, valorisées ou minorées. L'insécurité linguistique, dans laquelle le locuteur non natif vit l'échange, affecte l'image de ces parlers, leur acquisition et leur circulation, y compris, bien sûr, dans l'enseignement où les enjeux sont plus importants qu'en langue étrangère : ils font encore débat dans bien des pays ou régions anciennement colonisés ou dominés. Enfin, on entendra parler de langue seconde pour qualifier le statut des langues adoptées par de nouveaux arrivants dans un milieu allophone (étudiants, immigrants...), et cette question, si importante à l'heure actuelle, devra être posée en termes de gestion sociale du plurilinguisme, comme nous le ferons plus loin.

En résumé, ce qui distinguera donc une *langue étrangère*, c'est son caractère de langue apprise après la première et sans qu'un contexte de pratique sociale quotidienne ou fréquente en accompagne l'apprentissage. Pour s'en tenir à un exemple, un Algérien peut avoir dans son « répertoire verbal » le berbère comme langue première et vernaculaire, l'arabe dialectal, l'arabe littéral et le français comme langues secondes, l'anglais ou l'espagnol, appris au lycée comme langues étrangères proprement dites. Par commodité, nous dirons désormais « seconde » ou « étrangère », sauf mention contraire. Et, bien entendu, on comprendra que la langue seconde peut être la troisième ou la quatrième apprise en réalité.

Le statut social d'une langue nouvelle et l'imaginaire qui s'y attache influent sur l'apprentissage, dans un processus très individualisé. Comme l'écrit Weinreich dès 1951 : « L'endroit où les langues entrent en contact n'est pas un lieu géographique, mais bien l'individu bilingue. » C'est que le cadre de tout apprentissage linguistique est d'abord celui du bilinguisme (Hamers, Blanc, 1983 ; Baker, Prys Jones, 1998).

Plusieurs auteurs insistent sur une différence essentielle entre langues première et seconde : alors que la L1 est celle à travers laquelle se construit la *fonction de représentation du réel*, ou fonction symbolique, la langue apprise en second (sauf dans le cas d'un apprentissage précoce) se borne souvent à permettre la communication. Mais l'on sait bien que l'apprentissage d'une nouvelle langue est toujours à l'origine d'une certaine recomposition du monde et, entre autres, d'une reconstruction de l'image que l'on se fait de sa propre langue. On sent que l'enseignement/apprentissage d'un nouveau système exerce un effet de loupe sur des problèmes phonétiques, lexicaux, sémantiques que l'on ne percevait pas. Et bien entendu ce nouvel apprentissage retentit – chacun d'entre nous en a plus ou moins l'expérience – sur toute *une vision du monde*, du fonctionnement des hommes, des idées et des choses qu'on croyait familiers.

L'approche didactique y contribue : l'enseignement/apprentissage de langue étrangère semble commencer là où celui de langue première se termine, comme s'il y avait eu « représentation *a priori* du fonctionnement de la langue ». Finalement, en langue étrangère, la manière très exploratoire avec laquelle est abordé le nouveau système, souvent étayée de méthodologies plus inductives, permet de montrer que la notion de langue est toujours à (re)construire (Filiolet, Porquier, 1978). L'apprentissage d'une nouvelle langue étrangère est donc aussi, pour le cerveau humain, l'occasion de se débarrasser des routines – sans nuance péjorative – intellectuelles et culturelles préexistantes.

Pourtant, la tendance initiale des pédagogues a été de considérer la L1 comme une *source d'erreurs* lors de l'appropriation de nouveaux systèmes (Castellotti, 2001). Nous verrons que deux notions, celles de crible et d'interférence, viennent à l'appui de cette position. Des listes ont été fabriquées à l'usage des enseignants, répertoriant les erreurs ou, terme plus culpabilisant et bien installé en français, les *fautes* les plus communes à chaque groupe linguistique (sinophone, francophone, arabophone…) : mots difficiles à prononcer, erreur sur le genre du nom ou le temps du verbe, problèmes morphosyntaxiques (inversion, place du verbe, discours rapporté, usage de l'article), etc. S'en dégage un modèle d'apprentissage qui vise à égaler le locuteur-natif, locuteur-idéal, avec la disparition totale de toute trace de la langue première.

On sait en réalité, maintenant, qu'un contact de langues ne se résume pas à la rencontre de deux systèmes linguistiques, mais qu'il met en jeu un traitement individuel complexe. C'est pourquoi le point de vue actuel est plus subtil : la *construction d'un système approché de la langue seconde* se fait par l'intermédiaire d'hypothèses sur le fonctionnement de celle-ci et par un ensemble de processus mentaux sophistiqués. On s'accorde pour distinguer des processus plus ou moins larges, les uns inscrits dans une stratégie immédiate, les autres dans une conduite permanente, certains visant à l'acquisition ou à la communication, automatisés ou permettant un contrôle, etc.

L'apprenant se fait aussi une représentation de la spécificité des langues en présence, et il établit une distance entre elles. La question de la distance typologique entre les langues a fait l'objet de recherches remarquables, langues éloignées (projet Innovalangues) ou proches (projets Eurom4, Galatea, Galanet, actions de l'Union latine, sur les langues romanes, suivies par d'autres sur les langues slaves). En Afrique, les travaux menés autour de l'école et des langues nationales, avec des grammaires comparées, vont dans le même sens. À partir de là, on en sait davantage sur le rôle que joue, chez l'apprenant, l'image d'une langue : image reçue (sa réputation d'étrangeté, par exemple) et produite (d'où le discours des apprenants sur leurs difficultés).

Disons, en conclusion, que le mode de traitement des données par l'apprenant est une affaire qui se joue à la fois en lui et hors de lui, un processus intrapsychique et interactionnel à la fois, propre à l'individu en qui se détermine plus ou moins consciemment leur gestion (choix, organisation, rétention, etc.). Le recours à la langue première aide sans doute l'apprenant à structurer ses deux systèmes et se révèle de nature à faire naître des hypothèses sur la L2 (Giacobbe, dès 1990). Il s'en faut néanmoins de beaucoup que tout le processus doive être examiné seulement par référence au système de la langue première.

V. – Linguistique et didactique

La didactique a mis longtemps à se dégager de la *discipline de référence primordiale* que la linguistique a constituée pour elle. Examinons comme un exemple significatif cette « vue panoramique de la didactique des langues étrangères » que Robert Galisson propose en France, vers la fin des années 1970.

Dans les grandes lignes, indique à l'époque cet auteur, la didactique se construit d'une part sur la *méthodologie* des langues étrangères, de l'autre sur la *linguistique appliquée à l'enseignement des langues étrangères*. La méthodologie est alimentée par « la sociologie, la psychologie, les sciences de l'éducation, l'idéologie, la politique, la technologie de l'éducation, la pragmatique (c'est-à-dire l'usage fait effectivement du langage, dans l'énonciation), la kinésique et la proxémique (la prise en compte de la gestuelle et de l'espace), la docimologie (l'évaluation), l'iconologie (l'étude de l'image), etc. ». Quant à la « linguistique appliquée à l'enseignement des langues étrangères », elle est irriguée par la phonétique, la grammaire, la lexicologie, la sémantique, la stylistique, etc. L'état des lieux est certainement différent aujourd'hui. On observe indiscutablement un passage progressif d'une étroite relation, voire d'une subordination (comme s'il y avait entre la théorie scientifique et les pratiques d'enseignement une situation « coloniale »), à un schéma beaucoup plus intégratif au sein des sciences humaines. L'horizon s'est élargi, une théorie de la langue devient une condition nécessaire, mais non suffisante à son enseignement. Nous osons à peine, au passage, rappeler l'idée, hélas encore reçue dans quelques milieux peu éclairés, selon laquelle il suffirait de savoir une langue pour être en mesure de l'enseigner.

Sans entrer dans un débat probablement sans fin, disons que la didactique des langues et la linguistique ne sont plus dans la même étroite dépendance. Elles ne sont pas même en relation de complémentarité, si l'on reconnaît, à la suite de Galisson, qu'elles « ne sauraient viser le même objectif, parce qu'elles n'œuvrent pas sur le même plan. La didactique travaille en amont sur quelque chose de complètement instable et inachevé, la langue en voie de construction, et le sujet apprenant est au centre de ses préoccupations » (Galisson, 1989).

Il reste clair que l'objet à enseigner est bien une langue, et comme c'est l'objet même de la description linguistique, le didacticien a tout à gagner à ce travail conduit à côté du sien. En fait, la linguistique, posée comme un préalable à la présentation de la langue (découpage lexical des manuels, étude contrastive des systèmes phonétiques, exercices, etc.), prend désormais une autre importance, à partir du moment où elle se voit « infléchie par ses nouvelles orientations [...] très attentive au procès d'énonciation, à la dimension sociopsychologique du langage » (Galisson, 1980). Nous ajouterons, comme le précisera la dernière partie de cet ouvrage, que l'orientation vers la perspective d'un « agir-ensemble » et de pratiques sociales favorisées par les technologies de communication modernes accentuera ce mouvement.

C'est que la linguistique, dont a besoin l'enseignement des langues, est plus que jamais mise en demeure d'échapper à de vieilles *critiques*. Elle a sans doute négligé bien des aspects constitutifs de la communication : sa dimension actionnelle (son activité effective, son influence), interactionnelle (toute communication est dialogue, adaptation), sociale (par exemple comme moyen de distinction), référentielle (or une partie de la linguistique s'est, depuis ses origines, coupée de l'extralinguistique) ou encore variationnelle (la langue se négocie et se reconstruit en permanence dans l'échange).

Quelques grands moments ont dominé l'histoire des théories linguistiques : structuralisme européen et distributionnalisme américain ; fonctionnalisme de Martinet et de ses élèves ; perspective énonciative de Jakobson, de Benveniste ; grammaires génératives, avec Chomsky ; linguistiques textuelle, pragmatique qui manifestent le langage comme activité discursive, etc. (Bronckart, 1985). C'est dans ce foisonnement que la didactique a cherché les moyens de sa triple activité de recherche, d'expérimentation, de production d'outils.

Ces rapports entre linguistique et didactique ont été compliqués par plusieurs facteurs : le statut scientifique inégalitaire de chaque domaine (la didactique, prise entre pédagogie et recueil de « recettes » pour la classe, trouvait dans la linguistique un surcroît de légitimité), les besoins des enseignants, le coût de l'innovation, la difficulté des transferts, etc. Après l'applicationnisme dominant des années 1950-1960, les didacticiens ont marqué leur réticence pour des travaux de linguistique formelle qu'ils jugeaient refléter une vision étroite de la communication. La didactique a cru alors trouver dans une linguistique plus soucieuse de l'individu, plus anthropologique, des réponses à ses nouvelles questions. Ainsi s'est amorcé un rééquilibrage, sinon une réhabilitation de leur relation (Chiss, 1995).

Il n'est pas niable, en effet, qu'une bonne *description de la langue* comme système, sous l'angle de ses composantes (phonétique, morphologie, lexique, syntaxe, sémantique), ne peut qu'aider le didacticien. Mais la question est de savoir ce qu'est une bonne description. Widdowson (1981) fait remarquer que la validité d'une description théorique se juge par rapport à un modèle, et une description pédagogique par rapport à son efficacité, « c'est-à-dire son incidence sur les procédures de présentation de la langue dans la classe ». Il faut même distinguer, a-t-on ajouté, qu'il y a une langue usitée dans la communication sociale, une langue décrite comme système, une langue enseignée et une langue apprise. La coexistence, parfois difficile, de ces images de la langue caractérise la parole produite dans la classe avec, en toile de fond, bien sûr, une difficile *transposition didactique*, un passage du savoir savant au savoir enseigné (Chevallard, 1985).

Stern (1983) nous rappelle ce qu'est une vision de la langue dans la linguistique moderne : d'abord une absence de jugement sur la langue, et par exemple sur le statut social de l'oral et de l'écrit qui sont dans certains cas si dissemblables (cas de l'arabe ou du français) ; la prise en compte, par conséquent, des variétés sociales et régionales ; une vision structurale d'un système où jouent des contrastes et des oppositions ; une dualité langue et parole, avec ses implications individuelles et collectives, où le système s'oppose à l'usage, le code au message, le langage au comportement verbal, les formes aux fonctions.

Aujourd'hui, la *décentration par rapport à la linguistique* est peut-être achevée. On met en effet de plus en plus l'accent sur des facteurs extérieurs liés à la prise de décision éducative et à la définition d'objectifs d'enseignement, pour construire l'architecture de cet enseignement. Les choix relatifs aux contenus relèvent, certes, de l'oral, de la grammaire, de l'analyse fonctionnelle (nourrie de pragmatique, d'analyse du discours, de sémantique, mais aussi d'ethnographie de la communication et de sociolinguistique). Ils procèdent surtout des tâches, des activités communicatives envisagées, et de compétences culturelles et sociales, de formes d'éducation plus générales (apprendre à apprendre, s'autonomiser, etc.).

Étant posée cette structure, l'enseignant visera à développer des stratégies, c'est-à-dire des actions intentionnelles et d'envergure, en synergie avec celles que développe l'apprenant (Stern, 1992).

Sans doute n'y a-t-il pas de raison de s'en tenir ici à un seul modèle, qui donnerait à voir idéalement les facteurs en jeu dans une telle problématique. En tout cas, l'évolution est claire : elle se manifeste dans l'arrivée de nouveaux termes, l'ouverture à d'autres apports et la complexification du champ. Des polarités autres que le couple linguistique/méthodologie sont apparues, d'où l'idée renforcée que la notion de choix est centrale en didactique. La dynamique du système, l'interactivité de plus en plus évidente entre les facteurs contredisent ainsi la conception d'un champ de la didactique trop souvent perçu comme stable, voire statique, par des observateurs profanes ou blasés. On peut se demander, d'ailleurs, si la didactique actuelle ne souffre pas plutôt d'un trop-plein théorique.

Dans toutes les hypothèses de travail, on admettra que *plusieurs approches*, qui s'imposent sans exclusive, devraient être mises en relation. En résumé :

- l'étude de la communication dans toutes ses composantes, organisationnelles, linguistiques, anthropologiques, etc. (voir le modèle que nous avons proposé plus haut), avec la volonté d'y instituer des repères et d'y établir des oppositions, donc des valeurs (approche contrastive ou comparative) ;
- les données sociolinguistiques (représentations et facteurs sociaux et institutionnels qui jouent sur l'acquisition, la pratique, la place des langues respectives

chez les locuteurs), ouvrant, pour certains, à une socio-didactique ;
- les données des neurosciences, de la psychologie du langage et de la psycholinguistique (traitement spécifique de « l'exposition » à la langue seconde, processus cognitifs, image individuelle de l'acquisition, attitude et motivation, construction des règles en langue seconde, par exemple) ;
- l'instauration d'une interaction entre ces différents éléments, dans la courte durée, mais aussi dans la longue (et l'on dépasse de beaucoup, on le comprendra, ce qui est observable dans la communication en classe).

Notons enfin qu'une réactivation du débat ou du dialogue est permise par un glissement épistémologique (à la linguistique se substituent les « sciences du langage »), mais n'enlève rien à une tendance de fond. La cartographie actuelle fait encore de la didactique, pour certains, un sous-domaine de la linguistique appliquée (Hall, Smith et Wicaksono, *Mapping Applied Linguistics*, 2017).

VI. – Un cadre de référence

La conclusion de ce tour d'horizon est, naturellement, que la didactique doit être située dans l'*ensemble des domaines de référence*. La proposition de Stern (1983, reprise en 1992) est, ici encore, intéressante. Trois niveaux d'appréhension sont retenus :

- celui des « fondations » : histoire de l'enseignement des langues, linguistique, sociologie, sociolinguistique et anthropologie, psychologie et psycholinguistique, théorie de l'éducation ;
- un niveau intermédiaire, celui des concepts de base de l'enseignement des langues qui sont relatifs à la

langue, à l'apprentissage, à l'enseignement, au contexte social. Il associe étroitement théorie et pratique ;
- un troisième niveau, enfin, celui de la pratique et des « praticiens » (enseignants, mais aussi conseillers, administratifs, voire décideurs politiques), concerne directement la méthodologie (contenus et objectifs, stratégies, ressources, évaluation des résultats) et l'organisation (planification et administration, de tous types et à tous degrés de formation).

Le modèle de Stern apparaîtra schématique à qui considère l'impact des ressources technologiques sur les modes de transmission actuels et à venir. Il est cependant pris ici comme un exemple majeur, qui tend à répondre à plusieurs critères : sa globalité ; le fait que les éléments inclus y sont interactifs ; la multiplicité des facteurs en jeu ; une approche multidisciplinaire. Mais il est aussi, à l'évidence, le reflet d'une conception du système où, désormais, les éléments donnent l'impression de s'équilibrer.

Que se passe-t-il concrètement, *dans la classe* ? L'enseignant issu d'une culture et d'un système de formation déterminés enseigne une langue qui peut avoir un statut (seconde ou étrangère) et une valeur d'usage différents selon les apprenants. Elle est par ailleurs proposée ou imposée par un pouvoir qui met en œuvre sa politique linguistique, avec des programmes et des moyens définis en dehors de l'école. C'est pourtant dans ce champ que les apprenants, avec leurs spécificités, vont avoir à construire leur acquisition. Donnons quelques exemples.

Dans un pays africain où le français est langue officielle, l'instituteur doit parfois travailler dans une langue qui n'est, ni pour lui ni pour ses élèves, la langue première. Dans les pays d'Europe de l'Est, l'ouverture des frontières a suscité un changement de statut radical pour le russe, naguère obligatoire et d'ailleurs indispensable, provoquant une baisse de son « cours » sur le marché linguistique et un bouleversement de son enseignement inimaginable à ce jour (mais ne préjugeons pas de l'avenir). Il en va du dispositif d'enseignement/apprentissage d'une langue comme du jeu d'échecs : une pièce bouge et tout est modifié.

Certains ont pu, dans ces conditions, évoquer un peu plaisamment des apprentissages qui réussissent sans et même contre la méthode et l'enseignant. On souscrira en tout cas facilement à l'idée émise par W. von Humboldt, au XIXe siècle, selon laquelle une langue s'acquiert plus qu'elle ne s'apprend. On verra, dans un historique des pratiques d'enseignement examinées plus loin, que la didactique est conviée en effet à quelque modestie.

Mais n'y a-t-il pas lieu de craindre, alors, que la didactique devienne un attrape-tout ou qu'elle ne se dilue dans les apports des sciences ou domaines qu'elle met à contribution ? Ce que l'on observe, en réalité, c'est que les postulats ou principes sur lesquels elle se construit lui sont toujours venus d'ailleurs et qu'elle nourrit avec eux des échanges. Et s'il est vrai que le transfert de concepts ou d'outils d'un domaine à l'autre ne va pas sans danger, nous voyons assez bien, même tardivement, que les choses évoluent par *recompositions* successives, malgré des effets de retour en arrière.

VII. – Enseigner et apprendre

Il faut rappeler qu'une acquisition est une modification de la conduite du sujet manifestant l'adaptation à une forme de besoin. Très simplement, la différence entre vous, comme sujet ne sachant pas nager et vous, ayant acquis une certaine capacité à flotter et à vous déplacer sur l'eau, c'est que vous ne vous noyez pas si on vous jette à l'eau. Le résultat d'une acquisition est une conduite adaptative évaluable.

Mais apprendre relève aussi d'un comportement volontaire et durable. Une attitude positive face à la L2 détermine le processus dès la motivation initiale, même si le choix n'en est pas vraiment un : c'est le cas lorsqu'il est opéré par la famille de l'apprenant ou n'appartient qu'aux autorités politiques et éducatives. La famille d'un apprenant, le pouvoir politique et la société plaquent sur les langues et les cultures étrangères des images, des représentations, des désirs. Ils ont face à elles des attitudes, mais l'apprenant a aussi un projet de vie qui n'appartient qu'à lui et une *motivation* (Nuttin, 1980). Il doit trouver les mobiles et les impulsions nécessaires à ses efforts dans l'espace qui unit son moi et le monde social.

On a voulu distinguer une motivation instrumentale à l'apprentissage d'une langue, liée à des besoins de type relationnel, technique ou professionnel, et une motivation symbolique, par exemple intégrative : le désir de faire partie d'une communauté en maîtrisant sa langue. On a aussi distingué des motivations liées à la contrainte, à l'ambition de réussir, au goût de savoir et au plaisir… Il n'est pas sûr que les choses soient dissociables. Les enquêtes sur les attitudes et la motivation (Gardner, Lambert, dès 1972) ne permettent guère de généraliser, ni de prendre en compte sur tous ces aspects les variations entre individus ou chez un même individu, avant, pendant, après l'apprentissage. On sait tout au plus qu'il y a des dispositifs didactiques plus favorables que d'autres à l'acquisition de nouvelles compétences. Indéniablement, la mobilité de l'apprenant en fait partie (Anquetil, 2006 ; Dervin, 2008).

C'est aussi une question complexe que de savoir comment un dispositif d'apprentissage contribue à établir ou permet d'ancrer chez le sujet ces nouvelles *compétences*, c'est-à-dire ces règles de fonctionnement intériorisées. Dans le domaine des langues étrangères, l'acquisition non guidée se caractérise par le fait qu'elle se produit dans la communication quotidienne – on peut dire : un milieu social autre que l'école – et qu'il n'y a pas d'efforts intentionnels systématiques pour guider le processus.

Dans ce cas, les différences avec une situation « guidée » sont sensibles : par exemple, la tâche de celui qui parle en langue étrangère lui apparaît comme réussie s'il arrive à se faire comprendre, les moyens important peu : si un moyen linguistique n'est pas assuré, le problème sera contourné ou évité par le locuteur en état d'insécurité. Autrement dit, ce qui compte ce n'est pas de faire des progrès en langue, mais de se servir de la langue ; dans ce cas, on peut supposer que l'attention aux règles de fonctionnement du code (et donc aux écarts par rapport à la norme) sera plus marginale (Klein, 1989).

On appellera *stratégies de résolution de problème* ces opérations intentionnelles visant à réduire l'écart entre le problème rencontré et les moyens dont dispose le locuteur non natif. Ces stratégies peuvent d'ailleurs amener le locuteur non natif à abandonner les buts de la communication, soit en se taisant, soit en se réfugiant dans des domaines plus à sa portée. Il peut aussi en venir à substituer à ceux de L2 des moyens non prévus, comme le recours à sa propre langue ou une gestuelle. Dans le meilleur des cas, il se résout à prélever dans ses compétences incertaines de quoi poursuivre l'échange, ou élargit son discours, en généralisant ses hypothèses sur le fonctionnement de la langue, en imaginant des analogies entre sa langue et la langue nouvelle, etc.

Nous emprunterons encore à Klein une représentation du travail effectué par l'apprenant. Les quatre *tâches* de l'apprenant, que seul l'exposé nous oblige à dissocier ici, seraient selon cet auteur les suivantes :

– analyser la langue (segmenter la chaîne sonore en unités significatives, par exemple) ;
– construire l'énoncé (combiner des mots ensemble, en particulier pour produire de la parole) ;
– mettre en contexte (intégrer le message à un contexte interprété en fonction d'informations parallèles) ;
– comparer sa langue avec celle de son entourage social (établir des contrastes, des différences).

Une telle présentation est intéressante. Elle donne le sentiment que l'apprenant cherche ses moyens dans une sorte de centre de ressources, celui des acquis et des compétences dont il dispose à un moment déterminé, pour élaborer son propre *système d'expression transitoire.* Celui-ci apparaît à la fois comme spécifique à l'apprenant et révélateur du processus d'appropriation. Il s'agit bien d'un système évolutif, avec sa logique propre, qui est en perpétuelle recomposition au fur et mesure que l'apprenant avance dans ses expériences langagières et en fonction d'une intériorisation, consciente et inconsciente à la fois, des règles de la langue seconde.

Klein a mis en valeur un point important de cette activité : « L'apprenant considère certaines caractéristiques linguistiques de l'énoncé comme *critiques* (de même que l'on parle de moment critique) et tente de s'y consacrer, alors qu'il en laissera d'autres de côté, soit parce qu'il estime que ce sont des problèmes qu'il a résolus, soit parce qu'il ne les perçoit pas. » Et surtout, l'auteur inscrit son observation relative à l'acquisition dans la réalité de l'échange : « Le facteur principal qui rend une règle critique est l'échec communicatif » (Klein, 1989).

Si le système transitoire peut paraître erratique ou instable, c'est sans doute qu'il est le résultat d'un encodage immédiat, effectué sous la pression d'un besoin de la communication. Mais ce système présente toutefois des régularités dont la construction relève pour partie du système-source comme on l'a suggéré plus haut, et aussi du traitement personnel qui est fait des données saisies, de leur rétention et de leur organisation en vue d'énoncés futurs. L'énoncé laisse apparaître des *interférences*, des emprunts momentanés et involontaires d'une forme du système-source (un anglophone : « sur la rue » pour « dans la rue » ; un créolophone : « je suis parti » pour « je m'en vais ») ou la création d'une forme mixte originale. Par exemple, la surgénéralisation de la variation verbale en français appelle une conjugaison de « aller » sur le type « chanter » qui peut amener à des énoncés comme « j'alle » (présent) ou « j'allerai » (futur), jusqu'à ce qu'un tel énoncé soit invalidé par l'interlocuteur de L2 sous forme de reprise, de correction ou de réprobation (surprise, rire…). Que les règles intériorisées soient légitimes ou non, on observe que le système peut tendre à se « fossiliser » et que les contacts exolingues, à terme, ne le font plus guère évoluer. Le phénomène peut d'ailleurs fort bien ne pas révéler une incapacité, mais la volonté consciente ou non de préserver une marque identitaire telle qu'un accent dont on peut tirer une certaine fierté.

Ce système transitoire que nous venons de décrire a reçu plusieurs noms : *interlangue* (Selinker, 1972), système approché ou approximatif, etc. En anglais, on parle de *learner variety*, en allemand de *Lernervarietät*, et en français, un terme bien compliqué se rencontre souvent : « lecte d'apprenant ». Encore une fois, la connaissance des spécificités de l'interlangue, l'attention portée à des réalisations qu'on appellerait fautives dans certaines pédagogies ont des implications possibles au regard des pratiques de classe. Tout partenaire de la conversation peut contribuer à l'*étayage* des compétences d'un locuteur non natif. Il peut manifester sa coopération, sa complicité, sous des formes diverses, et par exemple celle d'une manière adaptée de parler à un étranger, *foreigner talk* ou « xénolecte ». L'enseignant est là précisément pour aider à créer cet étayage.

En tout état de cause, celui qui parle avec un locuteur natif dans une langue seconde effectue un double travail : il concentre doublement son attention (on parle de « bifocalisation »), à la fois sur le déroulement de la communication et, dans une certaine mesure, sur le code employé qu'il doit maintenir en permanence sous contrôle. On est alors parti de l'idée qu'il existe des conditions particulièrement favorables à l'acquisition et on a cherché à les décrire pour les exploiter. Le désir de coopération du natif et du non-natif (ici, dans la conversation orientée entre enseignant et apprenant), leur accord sur l'activité (sa finalité métalinguistique) et sur le rôle de chacun autorisent une série d'opérations : à l'initiale, pour le moins, une production hésitante ou incorrecte de l'apprenant, à laquelle l'enseignant répond par une irruption dans le discours de celui-ci ; à cette réaction « hétérostructurante » (correction, demande d'éclaircissement ou d'amendement) succède une reprise « autostructurante » (autocorrection, effort tâtonnant) de l'apprenant qui manifeste ainsi une saisie nouvelle. À partir de ce qu'on appelle des *séquences potentiellement acquisitionnelles*, ce sont même de véritables dispositifs d'aide à l'acquisition que les chercheurs évoquent, avec des « formats » ritualisés d'interaction et des méthodes pour organiser les échanges, comparables à celles que les ethnographes et les psychologues ont pu employer pour décrire les relations entre mère et enfant (De Pietro, Matthey, Py, 1989).

La recherche s'oriente encore dans plusieurs autres directions : y a-t-il un continuum entre les apprentissages en L1 et en L2 ? Peut-on les décrire comme similaires, voire identiques, à ceux de la langue première ? Des travaux anglo-saxons ont montré une identité des appropriations en langue source et langue cible (cette dernière expression n'est pas forcément heureuse), par exemple pour ce qui est de l'ordre dans lequel des éléments sont acquis. Mais d'abord, ces observations portent sur des points limités (phonèmes, lexique, structure de la phrase), et surtout rien ne prouve que, au-delà des productions observées, les procédures sous-jacentes soient identiques et recouvrent les mêmes opérations cognitives profondes.

Il faut mentionner une théorie qui a marqué la recherche sur l'acquisition dans les années 1980. Selon S. Krashen, le processus d'acquisition d'une langue seconde serait très semblable à celui qui caractérise l'acquisition de la première langue : on doit se représenter que l'essentiel n'y est pas la forme des productions, mais la poursuite d'une communication « naturelle » dans une interaction où prime la signification. L'apprentissage conscient n'est là que pour réguler (*monitoring*) et affiner les productions qui sont initiées et permises par les acquisitions. Bien entendu, la compétence des locuteurs n'égale pas généralement celle des locuteurs d'une L1, mais Krashen émet l'hypothèse que c'est à cause d'un véritable « filtre » affectif, émotionnel, qui bloque les acquisitions en L2. Si ce filtre n'existe pas lors de l'acquisition de la première langue, c'est que la communication en L1 réfère pour l'essentiel à un environnement immédiat et qu'elle est facilitée par des éléments non verbaux importants ; en outre, la signification y est de toute première importance, et non la forme du message, à la différence de ce qui se passe en L2, en particulier dans les contextes scolaires. D'où l'idée qu'une « approche naturelle » de l'acquisition de L2 serait bienvenue, avec des activités impliquant l'affect et les ressources propres de l'apprenant dans sa totalité d'être humain. Cette proposition, peut-être irréaliste dans les contextes sociaux et institutionnels que nous connaissons, préfigure en tout cas les travaux de Fabbro (2001) et les apports qui allaient être ceux des neurosciences.

D'autres tentatives ont été faites pour examiner le processus d'acquisition à la lumière de celui de la formation des *pidgins* et des *créoles*, langues en formation, systèmes naissant dans des situations d'échanges commerciaux (pidgins) ou liés à la colonisation et à l'esclavage (créoles). En 1985, Hagège parle des créoles, pourtant longtemps traités avec mépris de *baby talk* (parler enfantin), comme de « laboratoires » des langues en gestation, et il est donc tentant de rapprocher les processus individuels et collectifs d'apparition des moyens de communication. Plusieurs questions soulevées, cependant, dans le cas des créoles peuvent intéresser la recherche sur l'acquisition :

- le rôle des facteurs sociohistoriques au sein desquels se produit la création ou la reproduction linguistique ;
- la place et le statut de la langue cible ;
- le rôle des phénomènes d'interférence avec la langue source ;
- l'articulation entre systèmes lexicaux et systèmes grammaticaux dans le processus.

Mais certaines observations font état des « obstacles méthodologiques et théoriques (qui) rendent hasardeux et problématique le rapprochement entre le procès d'apprentissage des langues étrangères, voire d'acquisition de la langue première, et celui de la créolisation » (Véronique, 1994). La mise en relation des phénomènes de créolisation et d'acquisition reste, à l'heure actuelle, une question ouverte.

En conclusion, les hypothèses et les pistes de recherche que nous avons évoquées offrent des orientations, mais il n'est pas évident qu'elles donnent aux enseignants les assurances théoriques qu'ils réclament, à tort ou à raison. Le cloisonnement de disciplines telles que psychologie, linguistique, sciences de l'éducation, sociologie, etc., et la sectorisation de la recherche et de la formation des enseignants sont, en France (mais aussi ailleurs), souvent dénoncés en premier lieu par les intéressés eux-mêmes... Sans doute les chercheurs ont-ils à se rapprocher des praticiens de la langue, si, du moins, ils croient en l'intérêt d'une réflexion commune, comme on peut l'imaginer.

VIII. – La scène de la communication didactique

Pour donner un cadrage plus serré de la scène didactique, divers dispositifs d'observation ou inventaires des faits à observer ont été proposés par les chercheurs. Nous ferons simplement état d'un questionnement qui reprend plus ou moins ces grilles d'observation :

– qui est à l'origine de l'interaction : enseignant, étudiant(s) volontaire(s), désigné(s), groupe, classe ?
– pourquoi y a-t-il intervention : pour structurer, solliciter, répondre... ?
– avec quels moyens : l'oral, l'écrit, le silence, un geste, un schéma... ?
– dans quels moments de l'interaction voit-on apparaître ces moyens : présentation, évaluation, explication, commentaire... ?
– quels contenus sont l'objet de l'intervention : linguistiques (grammaire, phonétique...), littéraires, personnels, sociaux, administratifs, etc. ?

Mais il serait erroné de croire que tout est quantifiable (le rôle d'un participant ne se juge pas au nombre et à la durée de ses interventions). Nous essaierons de donner une idée de la complexité et de la spécificité de la scène didactique, en nous limitant à quelques points.

D'abord, chez l'apprenant, il s'agit de la mise en œuvre de *stratégies visant à l'apprentissage*, et le processus est, bien sûr, pour partie seulement observable. On peut donner un aperçu de ces stratégies, directes et indirectes (Oxford, 1989) :

– stratégies directes : touchant à la mémoire (par exemple, faire des associations mentales, des schémas, utiliser des gestes ou des sensations pour mieux retenir ou évoquer un souvenir) ; cognitives (manipuler ou transformer la L2, par exemple répéter, faire une analyse contrastive de L1 et L2, déduire, prendre des notes, souligner) ; de compensation (demander de l'aide, recourir à la L1, éviter, inventer, paraphraser) ;
– stratégies indirectes : métacognitives (organiser son apprentissage, chercher à pratiquer la L2, s'évaluer) ; affectives (essayer de se détendre, s'auto-encourager, verbaliser ses difficultés) ; sociales (poser des questions, coopérer dans la tâche, développer sa compréhension d'autrui, de la culture de L2).

Ainsi l'activité de l'apprenant semble-t-elle renvoyer à son système neurophysiologique et à ses capacités cognitives. Mais elle implique aussi son système de valeurs et son désir d'avoir un rôle social, ce que manifestent, entre autres, ses attitudes, son accord éventuel pour négocier sa place dans le groupe ou participer à la tâche. L'ensemble de ces variables a permis, comme déjà dit, de parler de *styles d'apprentissage*, voire de profils d'apprenants dans l'interaction, auxquels doivent répondre les compétences de l'enseignant (Lin-Zucker *et alii*, 2011). C'est pourquoi, dans la classe, le dispositif didactique devrait représenter « en creux » ce que nous savons de l'apprentissage. Les deux problématiques, liées, appellent à se demander à la fois ce que sont « un bon apprenant » et un « bon enseignant ».

L'*enseignant* est d'abord celui à qui incombe la gestion du groupe, même si le dispositif fait la part belle à l'initiative et à l'autonomie de l'apprenant, comme dans l'approche communicative. Nunan (1991) donne de très nombreux exemples de manières de parler (*teacher talk*) et d'agir dans la classe. Il analyse le questionnement de l'enseignant et constate qu'un schéma canonique domine encore largement : *(a)* sollicitation de l'enseignant, *(b)* réponse de l'élève, *(c)* réaction évaluative de l'enseignant. Nous pourrions insister sur le fait que la réponse est, en général, préconstruite dans l'esprit de l'enseignant, dont la sollicitation vise au fond à faire retrouver des vérités qu'il détient déjà. Sans céder au pessimisme, Nunan tend à conclure, avec bien d'autres chercheurs, que les questions et même les discussions ressemblent, dans beaucoup de classes, à des séances de psittacisme, où se succèdent questions et réponses, sans que les apprenants voient la logique de l'activité qui leur est demandée.

À notre avis, cette conclusion devrait être confortée par une mise en question de l'*activité métalinguistique* et de sa place dans la classe de langue. Nous ne nous attarderons pas sur les excès du discours conduit autour de la langue et en particulier pour ce qui est de la grammaire dans les méthodologies traditionnelles. Il faudrait réfléchir à une redéfinition du métalangage (ou métalangue) dans les termes où Jakobson (1963) envisageait sa fonction, « lorsque l'émetteur du message cherche à rendre ce dernier plus accessible au décodeur ». Deux cas intéressants : celui d'actes régulatifs comme « je n'ai pas bien compris, pouvez-vous répéter ? » étrangement absents des manuels (mais non des méthodes de langues en général) et, justement, celui des exemples donnés par l'enseignant dans son cours.

Lorsqu'on se demande, comme Bange (1992), en quoi la classe de langue (du moins dans un format traditionnel, et nous verrons plus loin qu'il n'est pas intangible) est le lieu d'apprentissage par excellence, on doit rappeler qu'elle « permet d'échapper aux difficultés et aux hasards » et qu'elle « garantit l'apprentissage selon un horaire réduit et un rythme contraint ». Dans l'activité d'enseignement définie, ainsi que nous l'avons dit, comme une facilitation du processus d'acquisition, Bange distingue deux types de *stratégies d'enseignement* :

- soutien et optimisation : stratégies de soutien, dans la modulation du discours de l'enseignant (analogue à un « parentage ») et dans ses réponses aux stratégies positives de l'apprenant ;
- stratégies d'optimisation des processus d'acquisition : une « manipulation de la communication » doit mettre l'élève en position de « candidat-apprenant », lui donner des buts de communication qu'il désire atteindre, l'inciter à déployer des stratégies innovantes.

On constate, en conséquence, que *la classe est un milieu fortement ritualisé*, loin d'être naturel. Son organisation, sa dynamique, ses « discours », objets de nombreuses analyses, font ressortir justement l'importance des rôles respectifs et des schémas et routines mis en œuvre par l'enseignant : questionnement, évaluation, reformulation, rappel à une centration prioritaire sur le code, etc. Cette ritualisation vise à conceptualiser, voire à maîtriser au mieux le fonctionnement du modèle de communication que nous avons proposé plus haut. La tendance interactionniste, c'est-à-dire celle qui met l'accent sur le développement des processus interpersonnels dans la classe, a donné lieu à des dispositifs didactiques et pédagogiques intéressants, visant à créer un climat propice, à développer le travail en groupe, etc. (Kramsch, 1991). Une telle orientation didactique tendra à faire converger les règles procédurales qui sont celles de l'apprenant avec les principes stratégiques choisis par l'enseignant (Bange, 2005).

Bien entendu, le classique *triangle didactique* (apprenant, enseignant, contenus) ne rend pas pleinement compte de la réalité de l'enseignement des langues en général et du fonctionnement interactif de la classe en particulier. Ce triangle demande à être inscrit dans un ensemble de processus cognitifs, sociaux, institutionnels et idéologiques qui sont la trame de l'apprentissage. Nous rejoignons donc Allwright et Bailey (1991) lorsqu'ils encouragent les enseignants à devenir eux-mêmes observateurs de leurs classes, à associer à leur pratique une réflexion constante sur celle-ci (*exploratory teaching*).

Il faut noter à cet égard l'intérêt de techniques aujourd'hui assez connues, telles que le journal de bord (ou d'apprentissage) et les outils numériques. Le premier exige de l'apprenant une observation guidée du cours qu'il suit et établit une prise de distance, une réinterprétation, voire un dialogue entre partenaires de l'interaction. C'est une technique qu'on retrouvera dans les *portfolios de langues*. Les seconds permettent l'enregistrement, le recueil de données et sont utilisés déjà en formation d'enseignants et pour la préparation des sportifs (développement du geste, jeu collectif…).

IX. – Conclusion

La didactique ne saurait se constituer à partir de pratiques observables dans la classe, fût-ce au moyen d'un modèle élaboré, sans opérer un retournement qui la conduise de « ce qui se passe » à « comment le concevoir ». Sans *une conception globale* des processus d'enseignement et d'apprentissage appréhendés dans leur dialectique, la didactique se retrouve en face à face avec elle-même. Elle court alors le risque de se réduire à une technologie, c'est-à-dire un ensemble de procédés constituant des techniques, elles-mêmes prenant forme dans des méthodes.

La notion de didactique doit englober la construction des savoirs enseignés, d'une part, et la prise en compte de l'interaction entre enseignement et apprentissage, de l'autre. Le travail didactique ne se résume donc pas à une transformation d'objets (une langue usitée en langue enseignée, puis en langue apprise, un acte d'enseignement converti en acte d'apprentissage), ni à une connaissance cumulative, mais recouvre une transformation des acteurs eux-mêmes : l'apprenant, l'enseignant aussi, dans une trame culturelle, sociale, historique.

Une définition minimaliste de la didactique comme ensemble de moyens mis en œuvre au service de l'apprentissage apparaît, par conséquent, définitivement trop limitée. Et ce ne sont donc pas les outils didactiques qu'il faut seulement interroger à présent, mais les méthodologies sous-jacentes, c'est-à-dire les principes directeurs de ces démarches raisonnées, appuyées sur des informations et des échanges, bref, sur tout un monde extérieur.

CHAPITRE II

Les méthodologies

I. – Analyse/élaboration de manuels et de méthodes

Nous ferons état d'une recherche que nous avons menée pendant plusieurs années à partir de l'examen de manuels et de méthodes d'enseignement. Constituant un vaste échantillon venu d'époques et de lieux les plus divers, puis actualisé récemment, le corpus a été réuni par des étudiants, français ou étrangers, dans une institution française où sont enseignées plus de 90 langues. Les grilles d'analyse que nous avons utilisées pour l'étudier (Mackey, 1972, etc.) ne peuvent être décrites ici, mais nous voulons seulement donner une idée du travail entrepris et de quelques résultats.

Un *classement méthodologique* est proposé, comportant cinq grilles d'analyses partielles et, pour chacune d'elles, description factuelle et appréciation que l'on peut porter sur le matériel :

– présentation matérielle de l'outil (fiche signalétique, matériel complémentaire, préface ou livre du professeur, structure du manuel) ;
– supports et documents (type, présentation, origine, appréciation, pour l'essentiel, de la variété et de l'adéquation aux objectifs) ;
– contenus linguistiques (lexique, phonétique, grammaire, exercices sous l'angle de l'opération requise (contenu) et de l'accompagnement pédagogique) ;

– contenus notionnels/thématiques (thèmes, notions et fonctions langagières étudiés, qui caractérisent socialement et culturellement le monde représenté dans le manuel, avec ses rapports humains, ses stéréotypes, etc.) ;
– tests et évaluation (tests, schémas ou guides docimologiques).

Notons d'abord que, malgré ses évidentes qualités, ce type d'analyse classique fait courir un risque. Il donne à penser à l'utilisateur que la meilleure méthode est celle qui intègre le plus possible des éléments énumérés : sa vocation (affichée) pour tous publics, par exemple, qui rejoint bien entendu le souci légitime que la méthode se vende ; ou bien, la présence d'images en grand nombre, bandes dessinées, vignettes, photos, dessins, montages, publicités, etc. ; ou encore des écrits diversifiés, contes, romans, théâtre, poèmes, chansons, etc.

En réalité, la question fondamentale est celle de la *cohérence* pédagogique, c'est-à-dire de la compatibilité et, mieux, de la convergence des outils, techniques et procédés mis en œuvre dans une même méthode, elle-même cohérente avec une didactique d'ensemble.

Déceler quelques constantes dans les *titres* mêmes des outils dépasse de loin l'intérêt anecdotique : il faut évaluer l'écart entre titre et contenu réel de l'outil, faire la part des modes et de la contrainte commerciale, regarder de près les titres métaphoriques, repérer une histoire du titre motivant, du type *Le grec sans peine*, *Le français facile*, etc.

Si l'on prend comme repère de son organisation le déroulement d'une leçon, on obtient des *schémas* méthodologiques extrêmement divers, dont on donne juste ici quelques exemples :

– dialogue, traduction, grammaire et exercices, supplément culturel, vocabulaire et exercices (indonésien) ;

– question de grammaire et règles, vocabulaire, exercices (auto-apprentissage, swahili) ;
– texte avec dessins, vocabulaire, exercices sur le texte, autre texte, grammaire, exercices de prononciation, de manipulation, de traduction, écriture, civilisation (chinois, conçu à Pékin) ;
– dialogue en situation, structures et exercices, expressions orale et écrite à partir de documents, structuration des acquis, réemploi libre, textes littéraires (espagnol, Madrid) ;
– photos-déclencheurs, objectifs, exercices d'expression, culture, auto-évaluation (japonais, Tokyo), etc.

Cette *diversité des approches* adoptées tient parfois au pays d'origine et, moins souvent qu'on n'imagine, à la date de naissance de la méthode. Toutefois, on observe que la démarche d'exposition des contenus est plus souvent déductive (règle, puis applications) qu'inductive (dégagement d'une règle à partir d'un nombre *n* de cas rencontrés).

Ce qui donne son unité à une leçon peut aussi bien être un thème (« Gaston… à Paris… Notre salle de lecture… Une famille de mineurs… ») qu'un point grammatical (« Leçon 15 : l'imparfait »), parfois une modalisation (« Je voudrais un stylo… ») ou tout autre élément fédérateur, le titre pouvant n'être qu'un prétexte. Parfois encore, aucune unité n'est proposée explicitement, et la leçon s'intitule « Leçon 15 », à charge pour l'apprenant d'en saisir la cohérence. Enfin, dans les outils récents, on observe une référenciation au Cadre européen (CECRL) et à ses niveaux de compétence, et bien sûr à une implication forte de l'apprenant, appelé à exprimer ses goûts, à manifester sa personnalité et son autonomie, à agir et réagir.

La L1 est d'une aide précieuse pour la grammaire (et évidemment la traduction), mais le « tout en L2 » est fréquent, parfois sous l'effet de contraintes éditoriales (car des versions contextualisées coûteraient plus cher). Peu de méthodes esquivent la métalangue en général, ce qui implique un apprentissage spécifique (« verbe », « sujet », etc.), dont nous verrons plus loin quels problèmes il pose.

Certaines méthodes font le détour par une langue véhiculaire telle que l'anglais ; l'approche contrastive, avec des mises en garde et des exercices spécifiques adressés à tel ou tel groupe linguistique, est finalement très rare.

Une question ouverte reste celle de la langue enseignée : peut-on dire que telle langue s'enseigne plutôt de telle manière ? On pressent aussi l'importance de traditions pédagogiques et des représentations plus ou moins conscientes dites épilinguistiques (certaines langues sont dites « sans grammaire » par ceux qui les parlent).

D'autre part, la démarche est rarement justifiée par les auteurs, de sorte que les choix faits ne renvoient pas ouvertement à des données caractéristiques de l'apprentissage telles que les objectifs, un mode de travail en auto-apprentissage ou le rythme du cours. Cette absence peut être considérée comme volontaire, permettant le libre usage, ou au contraire passer pour une carence de conception. On voit qu'une tendance contemporaine fait son point fort de la « modularité » des matériels : l'apprenant (ou le professeur, à sa place) est invité à sélectionner dans une sorte de boîte à outils ce qui est jugé nécessaire, pour construire un parcours propre d'activités (cas d'une méthode d'anglais, présentant un tronc commun, trois itinéraires possibles et des « self-services » grammaticaux, culturels, etc.).

Enfin, nous savons que les conditions dans lesquelles sont utilisés ces matériels correspondent très peu aux prévisions d'origine : absence de support oral tel que CD ou documents en ligne (ressources numériques de l'éditeur) autorisant une interaction, durée du cours, possibilité réelle de réemploi, environnement social et culturel de l'apprenant, motivation, utilisation parallèle d'autres moyens, etc. Il y aurait beaucoup de naïveté à juger des pratiques pédagogiques dans leur ensemble par le seul examen des matériels mis en circulation.

Pour apporter quelques lumières dans cette diversité, voire cette confusion des démarches, et dans ces options fort contrastées, il nous faut brosser, à présent, un tableau des méthodologies que nous voyons à l'œuvre. Elles sont inscrites dans les outils, et un tel classement ne peut se faire sans retour sur le passé.

II. – Préalables à un tableau panoramique des méthodologies

La méthodologie de l'enseignement des langues étrangères puise ses racines dans l'histoire des *besoins de la communication sociale*. Nul doute que le marchand, le navigateur, le diplomate, le soldat ont, de tout temps, fait naître les formes du multilinguisme et de sa propagation. D'une part, ce furent des mixtes de langues, des créoles tels que le gallo-roman (on a pu dire que le français est un créole qui a réussi). De l'autre, ce fut la mise en place de moyens d'apprentissage contraints quand une langue l'emportait sur une autre, ou même provoquait sa disparition (l'arabe est enseigné, le berbère l'est relativement peu, comme on le constate au Maghreb et au Sahara).

Bien entendu, l'enseignement des langues, s'il est souvent décrit et évalué en rapport avec l'histoire de l'éducation, n'en garde pas moins sa spécificité. C'est qu'il n'a pas toujours à répondre aux nécessités générales de la société, mais à celles des groupes ou des individus utilisateurs des langues de l'étranger, soit pour aller à sa rencontre (c'est Marco Polo en Chine), soit parce que l'étranger s'impose et qu'on lui emprunte sa langue. L'on veut alors collaborer avec lui, ou le combattre (c'est Kateb Yacine, « le poète comme un boxeur »).

Au risque de simplifier beaucoup, disons que *les méthodologies traditionnelle*, *directe*, *audio-orale*, *audiovisuelle*, *communicative* dominent le panorama. Mais les dispositifs didactiques ne présentent pas la successivité chronologique qu'on pourrait imaginer. Il y a continuité, déplacement, retour en arrière, prise en compte de ce qui se fait ailleurs pour s'en inspirer ou, au contraire, pour le rejeter. Il y a adaptations à de nouveaux environnements idéologiques et technologiques. Le changement en didactique ne se décrète guère, même à travers des instructions ministérielles, des préfaces de manuels ou des cours de formation et stages pour professeurs. Enfin, les termes *méthodologie* et *approche*, voire encore *démarche*, se rencontrent et, parfois, de manière assez indifférenciée. Ils manifestent une évolution vers plus d'ouverture, non tant de la didactique que de l'idée qu'on s'en fait.

III. – Les méthodologies dites traditionnelles

Elles existent depuis l'Antiquité et perdurent jusqu'à nos jours. Elles sont fondées sur une relation pédagogique forte : le rôle du maître y est central. Il constitue un modèle de compétence linguistique à imiter. Savoir une langue, c'est plus ou moins connaître le système à l'égal du maître. Mais le véritable modèle reste celui qu'incarnent les bons auteurs. Le système linguistique est en fait celui qui est dégagé par l'imitation des textes littéraires. Et, en gros, pour une langue telle que le latin, c'est Cicéron, et non le Bas-Empire ; pour l'allemand, c'est Kleist, et non

Elfriede Jelinek. Comme l'approche vise la maîtrise du code, c'est le vocabulaire et la grammaire qui représentent les objectifs immédiats : liste de mots, avec d'éventuels regroupements thématiques, règles de grammaire prescriptives insistant sur une norme (« Dites – Ne dites pas »). Plus ou moins, du XVIIe siècle au XIXe siècle, en Europe, l'étude du latin classique, avec sa grammaire – celle de Lhomond fait date – et sa rhétorique, constitue le moule de toutes les méthodologies d'enseignement des langues en milieu institutionnel. Une filiation directe entre didactiques des langues mortes et des langues vivantes étrangères est perceptible avec la théorisation qui en est faite, au milieu du XIXe siècle, surtout dans le monde germanique et anglo-saxon, sous les termes de *méthode grammaire-traduction*. Les objectifs fondamentaux tiennent à faire connaître une langue écrite de culture et d'élargissement intellectuel, et les contenus de civilisation y sont étroitement attachés. La présence de « la belle langue » va souvent de pair avec les méthodologies traditionnelles, quand il ne s'agit pas tout simplement de langues de haute tradition : pali des textes bouddhiques, sanskrit dans lequel sont rédigés les grands livres de l'hindouisme (Véda, épopées), latin classique, grec dans sa variété haute. Puisque l'écrit y tient une telle place, il est bien naturel que les langues dites mortes relèvent de telles méthodologies d'enseignement.

L'approche est très analytique et les outils privilégiés seront les manuels ou recueils de textes, voire les œuvres entières, la grammaire et le dictionnaire bilingue. La démarche didactique est, dans ses grandes lignes, la suivante : un texte littéraire, suivi des explications de vocabulaire et de grammaire, généralement avec recours à la langue source de l'apprenant ; traduction, exercices et finalement thème, qui constitue un retour à la langue apprise et donne parfois lieu à un réinvestissement :

on s'essaie à rédiger sur un sujet proche, et c'est le « thème d'imitation ».

On est donc bien dans une *pédagogie du modèle*, où lecture, version, thème se font sous la direction attentive de l'enseignant. En aucun cas cette conception ne permet de développer une réelle compétence de communication, même écrite, compétence qui, d'ailleurs, sauf exception (le latin comme véhiculaire de la religion catholique), ne constitue pas une finalité de l'apprentissage. Les mérites de l'approche traditionnelle sont évidents dans un contexte adéquat où le recours à la métalangue – en langue première, bien entendu – paraît souhaitable.

Mais les évolutions qui jalonnent l'enseignement des langues s'inscrivent dans le cours de l'Histoire. Ainsi le latin voit-il son statut et son importance bouleversés quand des langues comme le français ou l'allemand se dotent de formes stables, donc mieux utilisables, et accèdent à de nouvelles fonctions ; et si l'école change, dans son ensemble, la représentation de l'enfant, de l'apprenant, tout autant. Quelques grandes théories, quelques grands noms se détachent. Nous les mentionnerons simplement au passage.

Un pédagogue tchèque, Comenius (*Opera Didactica*, 1657) voit quelle est, pour l'apprentissage, l'importance de la perception sensible à côté de ce qu'apportent les capacités intellectuelles ; il dessine une thématique motivante pour l'élève ; il envisage le recours à l'image comme auxiliaire didactique. Certains continueront, à sa suite, à appeler une remise sur pied d'un enseignement des langues perçu parfois comme absurde et, déjà, dépassé. Au milieu du XIXe siècle, en Angleterre, c'est Prendergast qui insiste sur l'intérêt de mémoriser des « routines », des phrases de base réutilisables dans des situations originales. En France, Claude Marcel fait le parallèle entre langue de l'enfant et langue enseignée. Il veut « suivre pas à pas la marche de la nature », comme si le terme de « méthode naturelle », qui séduira périodiquement la pédagogie, pouvait aller de soi. François Gouin (*L'Art d'enseigner et d'étudier les langues*, 1880) cherche à comprendre les mécanismes de l'activité cognitive. Luttant pour la primauté de l'oral, il est persuadé que l'apprentissage d'une langue sera meilleur si l'on s'en sert pour réaliser des suites ou « séries » d'actions cohérentes entre elles. C'est encore Vietör, un phonéticien allemand, qui appelle, à la fin du siècle, à changer *de fond en comble* l'enseignement des langues. On se doute que l'institution scolaire est loin d'être toujours prête à accepter de bon gré ces propositions.

IV. – L'approche directe

L'approche *directe* va tenter de résoudre certaines des questions sur lesquelles l'enseignement piétinait ou qu'il voulait ignorer. Elle résulte, en fait, du besoin immédiat : si dans telle situation, tel mot semble provoquer telle réaction (comme un « bonjour ! » suscite son équivalent), si tel énoncé semble correspondre à tel besoin, alors enseignons ce mot, cet énoncé dans un environnement qui nous apparaît analogue, directement, sans passer par la traduction ou par l'explicitation lexicale ou grammaticale. Bref, essayons de « faire parler *la* langue et non parler *de la* langue ». C'est ce que fait le jeune aristocrate romain qui apprend le grec de son esclave, ce que fait, peut-être, le marchand gaulois qui enseigne à son fils comment traiter à son tour avec le centurion romain.

Les méthodologies de type direct donnent la *priorité à l'oral*, avec une écoute des énoncés opérée sans l'aide de l'écrit, et une grande attention à une bonne prononciation. Il n'y a d'énoncés que signifiants, c'est-à-dire inscrits dans une situation imaginable. La préoccupation métalinguistique, enfin, existe, mais dans un deuxième temps : c'est de l'observation réfléchie des récurrences que se dégagent des règles de fonctionnement de la langue.

Sans doute aura-t-on à recourir à des auxiliaires pour montrer directement de quoi l'on traite, livres, tous objets et accessoires utiles d'abord à la compréhension. Il y aura à imaginer des dispositifs faisant un large usage de l'oral et avec un vocabulaire volontairement limité. La gestuelle, le mime, la verbalisation par l'enseignant seront les adjuvants de cette didactique. On amène l'apprenant à répéter, assimiler peu à peu des éléments linguistiques en situation, de manière à le faire penser dès que possible dans la langue seconde.

Mais cette méthodologie, à certains égards complémentaire de la première, rencontre pourtant ses limites, elle aussi. S'il est aisé de travailler sur le thème du tabac dans la classe et d'introduire des mots comme cigarette, fumer, allumer, etc., qu'en est-il pour des concepts comme intoxication ou risque cardiovasculaire ?

En fait, la méthodologie directe trouve sa *cohérence* dans son organisation interne (Puren, 1988). Le noyau dur en est constitué par des éléments empruntés aux approches ou méthodes :

– directes : sans recours à la traduction ;
– orales (ou plutôt audio-orales) : le rôle de la perception est aussi grand que celui de l'audition et, au début du moins, l'écrit est écarté ;
– actives : on apprend à parler en parlant et en agissant.

Et c'est la présence de ces éléments qui amène à mettre en œuvre d'autres méthodes (le mot a ici le sens d'ensemble de procédés et techniques organisés et orientés) :

– méthode interrogative (jeu question-réponse) ;
– méthode intuitive (il s'agit de deviner pour comprendre) ;

– méthode imitative (l'apprenant apprend en imitant l'enseignant ; le travail de production des phonèmes est un bon exemple) ;
– méthode répétitive (la rétention d'information se fait par répétition, par imprégnation jusqu'à « l'assimilation »).

La méthodologie directe remporte particulièrement des succès en Europe et aux États-Unis, à la fin du XIXe siècle et au début du XXe, dans un monde qui vit l'époque du chemin de fer et des grandes lignes maritimes. C'est sans doute parce qu'elle est liée au voyage que la figure emblématique en reste Berlitz et ses centres de langues, même s'il n'employait pas le terme de méthodologie directe. Elle pénètre aussi l'institution scolaire et la classe, du moins quand les textes officiels qui marquent, entre autres, l'instruction publique française sont appliqués : des professeurs souvent traditionalistes et manquant de formation n'en seront pas toujours les meilleurs propagandistes.

Elle a suscité des progrès par ses présupposés, son approche globaliste de l'apprentissage et son caractère dynamique. Peut-être aussi a-t-elle sauvé des apprenants – et des enseignants – de la léthargie trop souvent notée auparavant. Cette méthodologie *active*, riche de sa diversité, donne en effet à celui qui apprend un rôle plus important et amène à redéfinir les éléments à enseigner prioritairement à l'oral.

On commence alors à parler de méthodologie *éclectique* ou mixte, de synthèse ou de conciliation. On voit encore une fois, dans les réformes engagées, coexister rupture et continuité : le texte et les exercices écrits reprennent leur place à côté de l'oral, et non à sa suite. Le vocabulaire peut être enseigné avec l'aide de la langue première, et un apprentissage « raisonné » de la grammaire prend le pas sur l'approche « mécanique », c'est-à-dire répétitive, des méthodes directes. Mais, en un mot facile, on insiste sur le fait que « la classe de langue vivante doit être *vivante* », que les élèves sont là pour y prendre la parole, pour dialoguer, analyser et commenter.

On voit ainsi apparaître une volonté d'intégrer davantage l'enseignement des langues étrangères dans le fonctionnement général de l'éducation et c'est leur inadéquation partielle à la problématique scolaire qui conduit à explorer d'autres voies.

V. – L'approche audio-orale

L'approche *orale* (*Oral Approach*) est encore appelée *Situational language teaching*. Elle prend son origine dans divers travaux de linguistique appliquée visant à donner des bases plus scientifiques à un enseignement des langues centré sur l'oral et la *mise en situation* des contenus lors de l'apprentissage. Il s'agit donc à la fois de sélectionner des éléments linguistiques, lexicaux par exemple (Palmer, West, 1936), et d'examiner dans quels contextes on peut les faire apparaître : trouver des principes d'organisation des contenus et des moyens de les faire pratiquer. En d'autres termes, concevoir une sélection, une gradation, un dispositif de présentation.

Richards et Rodgers (1986), résumant la méthodologie qui découlera de ces prémisses, entre 1930 et 1960 environ, insistent sur la priorité accordée à l'oral, sur l'usage exclusif de la langue cible en classe, et sur le fait que les nouveaux éléments introduits le sont toujours dans des situations. La place du vocabulaire et de la grammaire n'est en rien laissée au hasard. Lecture et écriture interviennent dès que les moyens linguistiques en sont assurés.

Dans les méthodes britanniques de cette époque, deux notions prennent également de l'importance : celle de *situation* (qui donne sa signification à la forme linguistique, en manifestant une intention du locuteur) et celle de *structure linguistique* (qui conduit à un modèle reproductible et assimilable par l'apprenant). Les activités d'écoute et de répétition, exercices de manipulation ou *drills*, s'inscrivent dans une conception de l'apprentissage où l'impression laissée par le contenu rencontré doit permettre le réemploi libre ultérieur. L'enseignement de l'anglais, langue étrangère, vivra au XXe siècle une considérable expansion, et cette méthodologie sera le vecteur « officiel » de sa diffusion pendant des décennies, alors que d'autres horizons didactiques se sont déjà ouverts.

Aux États-Unis, la Seconde Guerre mondiale suscite en effet un considérable effort dans l'enseignement des langues, comme dans d'autres domaines de l'éducation et de la recherche. Cinquante-cinq universités s'associent, dans ce qui prend le nom de *Army Specialized Training Program* (ASTP), pour former les personnels militaires à utiliser des langues étrangères lors des opérations extérieures, en Asie, dans le Pacifique et en Europe surtout. Vu le public concerné, tout semble alors à inventer. On fait appel à des linguistes comme Bloomfield, spécialiste des langues amérindiennes. Des recueils de textes sont bâtis à la hâte avec l'aide d'informateurs qui continueront à travailler ensuite avec le professeur et les étudiants, dix heures par jour, six jours par semaine, durant deux ou trois périodes de six semaines…

Le succès apparent d'une telle méthode, à base d'oral et d'exposition forte à la langue, donne, après la guerre, des idées à une Amérique désormais ouverte sur le monde et sûre de son pouvoir. Elle enseigne l'anglais – l'anglo-américain – partout, à l'étranger comme chez elle à ses immigrants, et sait aussi apprendre d'autres langues, parfois dans l'urgence, au gré de l'histoire contemporaine.

Il semble que l'apport de la *linguistique appliquée* à l'enseignement des langues se manifeste d'abord par l'intérêt pour une approche différentielle ou contrastive. On prend acte du fait que les erreurs observées chez les apprenants peuvent provenir de différences entre langues première et seconde, et donc de transferts erronés dans l'encodage comme dans le décodage. Pour le reste, la méthode audio-orale américaine (*Audiolingual Method*, ici MAO) est fondée solidement sur deux bases : linguistique structurale et psychologie du comportement.

(a) D'abord une linguistique *structurale*, où la valeur d'un terme se définit par opposition aux autres termes du système (Saussure, 1916). Cette linguistique de type « distributionnel » (Bloomfield, Harris, Fries) met en évidence les deux axes de la langue : axe paradigmatique, celui de la distribution des éléments dans l'énoncé, et axe syntagmatique, celui de la transformation.

À l'énoncé « Elle est belle » se substituera « Tu es belle », puis « Tu es riche », « Es-tu riche ? », etc. Différents procédés, qui n'étaient pas totalement nouveaux, d'ailleurs, « tables » ou « boîtes », permettent une présentation, puis une sélection des éléments que la didactique retiendra. En d'autres termes, une description de la langue est à l'origine d'un dispositif d'appropriation régulière de cette langue.

(b) Ensuite, une théorie comportementale empruntée à la psychologie et en particulier au *modèle béhavioriste* (Skinner, 1957) que nous avons déjà évoqué. Le schéma stimulus/réponse/renforcement a pour objectif la réapparition d'un comportement acquis et désormais automatisé.

Cette méthodologie se caractérise par une approche contrastive et une priorité à l'oral, avec l'aide du magnétophone et bientôt du laboratoire de langue, par des exercices structuraux intensifs et hors de toute situation réelle, par un vocabulaire soigneusement restreint aux besoins immédiats de la leçon. Elle est cohérente, mais voit s'élever contre elle des *critiques*, dès la fin des années 1950. D'abord, les objections de ceux qu'on va appeler les « mentalistes » et qui, comme Chomsky, refusent de voir dans le fonctionnement humain une simple suite causale, mais soulignent la créativité illimitée de l'homme doué de langage. Leur influence ira grandissante, tout comme celle des « cognitivistes » qui montreront bientôt la complexité réelle des opérations en jeu dans le processus de l'acquisition et du développement langagier. Mais aussi le rejet par les apprenants eux-mêmes, lassés d'exercices fastidieux, peu motivants et coupés de la réalité. On peut suivre l'idée selon laquelle, dans la MAO, « la superposition parfaite entre le niveau de la théorie et celui des matériels [...] a provoqué un appauvrissement radical des problématiques prises en compte et des pratiques d'enseignement » (Puren, 1994).

Sans doute aussi les conditions de mise en œuvre, avec l'ASTP, avaient-elles été exceptionnelles. Il faut toutefois se garder de hâtifs jugements de valeur. La méthodologie audio-orale a marqué d'une forte empreinte celles qui la suivent, même si elles s'en défendent souvent.

VI. – Les méthodologies audiovisuelles

Les travaux qui avaient amené les didacticiens américains et britanniques à une approche audio-orale, situationnelle, trouvent leur répondant en Europe après la guerre. Le terrain y est désormais beaucoup mieux préparé sur le plan scientifique pour une évolution des pratiques d'enseignement. Par ailleurs, les technologies de reproduction de l'image et du son (magnétophone, film et couleur...) sont arrivées à un niveau de fiabilité et de coût qui permet d'envisager leur entrée dans la classe. Il semble à peu près établi maintenant que les *méthodes audiovisuelles* (MAV), élaborées entre 1950 et 1970 environ, auront été le résultat de deux courants de recherche qui ne se confondent pas, l'un aux États-Unis, l'autre en Europe, et particulièrement en France.

Il ne suffit pas, pour caractériser une MAV, de parler d'association de l'oral et de l'image. À ce compte, beaucoup d'outils où interviennent des auxiliaires visuels tels que schéma, carte, tableau, vignette… pourraient être ainsi répertoriés, depuis longtemps. On qualifiera de méthode audiovisuelle celle qui ne s'en tenant pas seulement à joindre l'image et le son à des fins didactiques, les unit étroitement, de sorte que c'est *autour de cette association* que se construisent les activités.

Certaines vont prendre pour bases théoriques la linguistique structurale et la psychologie béhavioriste. Les contenus linguistiques structurés sont mis dans une relation propre à faire apparaître leur valeur. Ils sont présentés selon une certaine *progression*, notion qui renvoie à une organisation des éléments retenus pour être intégrés au programme de travail par l'enseignant ou le concepteur de la méthode : on n'enseigne pas n'importe quoi dans n'importe quel ordre.

Mais revenons sur la *description de la langue*, en prenant pour cas de figure le français langue étrangère. Si des travaux lexicologiques britanniques avaient donné naissance à un *Basic English* d'une « conception logique et universaliste » (Rivenc), du côté français, un élément aussi déterminant dans la mise au point des méthodes audiovisuelles aura été l'apparition du *Français Fondamental* (1959) : un recueil lexical et grammatical, établi sur la fréquence d'apparition, sur la répartition dans un corpus enregistré et sur la disponibilité (l'importance pour un thème particulier) de formes de base du français. Le corpus se limitait à l'oral et, pour le « niveau 1 », incluait

1 445 mots dont 1 176 lexèmes et 269 mots grammaticaux. Les plus fréquents étaient, pour fixer les idées et dans l'ordre décroissant : être ; avoir ; de ; je ; il(s). Une deuxième liste apparaissait bientôt avec 1 800 mots supplémentaires environ et allait constituer le *Français fondamental deuxième niveau.*

Les travaux menés conjointement à la fin des années 1950 en France, avec Rivenc au *Centre de recherche et d'étude pour la diffusion du français* (CREDIF), et à Zagreb en Yougoslavie, par l'équipe de Guberina, ont pour résultat l'élaboration d'une méthodologie dite *structuro-globale-audiovisuelle* (SGAV). Les fondements en sont :

- une théorie linguistique explicitement structurale (inspirée de la linguistique de la parole de Charles Bally, et non au sens de Saussure ou des linguistes américains) pour les contenus et la progression ;
- une primauté résolue à l'oral (comme le montre le français fondamental) ;
- une forte intégration des moyens audiovisuels ;
- une théorie de l'apprentissage fondée sur une « structuration mobile des stimuli optimaux » (certains comprendront, à tort : exercices béhavioristes) ;
- une conception globale de la communication ouverte *in fine* sur la pratique sociale.

Mais comment, avec leur diversité, les méthodologies audiovisuelles se traduisent-elles en ces outils qu'on appelle couramment des « méthodes » ? Des « situations » créées de toutes pièces donnent l'occasion d'y rencontrer les éléments linguistiques présentés. Ces situations tournent autour d'un thème et, en général, d'une petite histoire, fixée sur film fixe ou bande dessinée, associée à un enregistrement magnétophonique : « C'est bien le train pour Orléans, n'est-ce pas ? À quelle heure est-ce qu'il part ? »

Les contextes de cette situation visualisée sont supposés suffisamment motivants pour faciliter les différentes opérations proposées à l'apprenant.

Le moment est venu, pour nous, d'en dire un peu plus sur la leçon de langue. Désignée au fil des années et des tendances comme chapitre, thème, module d'enseignement didactique, dossier et surtout « unité didactique », la leçon de langue est constituée de différents moments ou phases de durée variable, sachant que les vents de la mode poussent très fort la terminologie…

Le *déroulement de la leçon* est donc analysable et les phases en sont justifiées, dans leur nature et leur organisation : dans leur nature, parce que l'examen montre qu'il est difficile, parfois inconcevable d'ignorer telle ou telle phase (par exemple réemployer un élément qui n'a pas été mémorisé) ; dans leur organisation, c'est-à-dire leur place ou leur manière de s'enchaîner dans la suite des opérations.

Pourtant, comme la justification de cette structuration reste le souci d'une efficacité maximale dans des conditions déterminées d'apprentissage, elle est sans aucun doute discutable et elle sera sujette à modification, surtout dans la dernière génération des MAV. Il ne nous semble pourtant pas que cette organisation soit jamais vraiment bousculée à travers telle ou telle de ces méthodes. On y observe, au plus, variation, fractionnement, report, dans des activités dont le bien-fondé n'est, finalement et pour l'essentiel, pas remis en question. Une séquence du type suivant est, en général, celle qu'on rencontre : présentation, explication, répétition, mémorisation et correction, exploitation, transposition.

(a) Présentation du contenu nouveau, sous forme vivante, dans une situation de communication et avec des supports variés où texte, image et son se trouvent associés.

(b) Explication, terme indiquant clairement que l'on se place du côté de l'enseignant, dont le travail vise en fait à faciliter ce qui sera l'accès au sens ou *compréhension*. Cette compréhension est d'abord globale, puis se fait progressivement plus analytique. Il s'agit de déterminer ce qui se passe à l'aide d'indices : rappel de la connaissance qu'on a des personnages, de leur rôle, évocation de ce qui est possible ou plausible, variation des situations et des contextes, paraphrase et, bien sûr, rôle de l'image…

À l'oral, une hypothèse classique est que le matériau sonore, la chaîne parlée que l'on entend, est perçu à travers ce qu'on désigne comme un *crible phonologique*. Les sons, ou plutôt les phonèmes de la langue, sont reçus et traités en fonction des habitudes sensorielles initiales. Que l'on pense aux tons du vietnamien ou du chinois, où la variation affecte le sens du mot (chinois *yu* : selon le ton, poisson ou langue, etc.). Au premier abord, le découpage de l'énoncé est rendu difficile, voire impossible et, pour un hispanophone, « Ils ont mangé » et « ils sont mangés » se confondent.

Les catégories *grammaticales* différentes de langue à langue suscitent des difficultés. Par exemple, en russe, un impératif perfectif marque la politesse, un imperfectif, la rudesse d'un ordre. On évoque encore souvent la richesse *lexicale* de telle langue qui dispose de nuances pour marquer la couleur des arbres, de la neige ou… de la robe d'un vin, ce qui fait parfois dire qu'il y a impossibilité à traduire. On a des séries de dérivation lexicale incomplètes : contrairement à l'arabe (*khobz*, pain), le français crée boulangerie (*makhbaza*) sur une autre racine. L'extension du pronom est mise en cause : « tu » vaut pour masculin ou féminin en français, pas en arabe (*anta/anti*) ; « nous » peut inclure l'auditeur : (je + tu + il)(s), ou l'exclure (je + il)(s), comme en tagalog (Philippines) ; on connaît la subtilité du jeu entre tutoiement et vouvoiement, même entre langues de l'Europe. On pourrait multiplier les exemples qui font problème pour le locuteur non natif : la marque du verbe (qui ne se conjugue pas en chinois), la déclinaison du nom, l'absence de distinction nom/verbe (créoles, tahitien), l'ordre des mots dans la phrase. Sujet-verbe-objet (SOV) représente 39 % des langues, mais SVO 36 %, VSO 15 % et même VOS 5 % (dont le malgache).

La compréhension se fera, ensuite, plus fine chez l'apprenant. Le découpage du matériau sonore de l'énoncé amène à une série d'hypothèses sur la communication, en fonction de l'échange entre les interlocuteurs. La démarche est très intuitive et l'explication met en relief des variations phonétiques, morphologiques, lexicales, syntaxiques qui font naître la signification, c'est-à-dire la prise de sens dans un environnement particulier.

On a vu que divers procédés aident à accéder à une première signification. Ils sont directs : l'*image situationnelle* ou de *transcodage* (un point d'exclamation marque une surprise), le geste, la mise en relation avec l'environnement local du cours. Ils peuvent être indirects : la paraphrase ou la définition, la mise en rapport de l'élément nouveau avec des éléments connus, contraires ou identiques. En général, la traduction est exclue dans la méthodologie audiovisuelle pure, le système source de l'apprenant étant censé – pour des raisons d'apprentissage – être évacué du champ de l'enseignement.

L'énoncé est alors susceptible d'être appréhendé dans sa complexité et, pour commencer, peut être segmenté. Pour donner un contre-exemple, c'est ce que ne peut faire l'enfant qui dit « un avion/le navion » et, encore, ce à quoi on n'est pas arrivé en français, avec le mot loriot (latin : *ille*, *aureatus*) ou avec le mot d'origine arabe « luth » (*al oud*), quand on affecte ces noms d'un article redondant : le loriot, le luth. C'est donc l'observation et l'automatisation, sinon la prise de conscience ou conceptualisation des faits rencontrés, qui engendreront une compétence, une règle que l'apprenant s'appropriera, au sens précis du terme.

(c) Répétition et *mémorisation* avec *correction phonétique.* Le travail consiste à fixer, puis à retenir, dans des formes acceptables au regard de la norme – d'où la correction –, les éléments présentés et expliqués, de façon qu'ils puissent être évoqués, c'est-à-dire revenir pour une utilisation effective. On distinguera entre compétences passive et active d'un élément : sa reconnaissance, son décodage à l'écoute, n'autorise pas forcément son utilisation lors d'une production personnelle.

La répétition reste l'un des moyens de parvenir à la fixation, par des procédés divers : apprentissage par cœur, seul, en groupe, dans la classe ou à la maison ; avec l'aide du magnétophone, du laboratoire de langues ; autonome ou non ; par la dramatisation ou le jeu de rôle, etc. Diverses possibilités de répétition et de correction peuvent se combiner. Certaines d'entre elles (mais non celles du courant SGAV qui recourt à la méthode verbo-tonale, privilégiant l'audition globale et les contextes « optimaux ») auront plus ou moins pour théorie de référence l'automatisation des comportements empruntée à la psychologie béhavioriste.

(d) Exploitation qui vise à l'appropriation des éléments nouveaux par leur systématisation, leur manipulation et leur réemploi dans des situations plus ou moins proches de celles de la leçon. Inscrire un élément dans un système, c'est, par exemple, afficher un paradigme, comme une conjugaison aux différentes personnes, une déclinaison, un microsystème (en français, cheval-chevaux, journal-journaux), un mode de repérage du genre des noms, etc.

La manipulation va se faire à travers des exercices intensifs et variés : répétition d'éléments simples, avec éventuelle expansion (il mange, il mange, il mange du pain) ; substitution ou corrélation (il joue avec son frère, il joue avec sa sœur, nous jouons avec…) ; transformation (regarde les oiseaux, regarde-les). Ces opérations *systématiques* peuvent porter sur le lexique (du nom au verbe et *vice versa*), la morphologie (mise au passé), la syntaxe (réécriture au style indirect, résumé, narration transformée en dialogue), etc. Elles ont donné lieu à une abondante littérature prescriptive : les exercices sont des techniques qui doivent être gradués, dosés, simples et adaptés, motivés, actifs, construits sur une analyse linguistique, progressifs, naturels, centrés sur un même thème, courts, variés, rapides…

On est dans une approche universaliste, où il n'est pas question d'exercices fondés sur une description contrastive des langues. Mais très vite beaucoup de méthodes *contextualisées*, c'est-à-dire adaptées à tel ou tel groupe linguistique, s'affranchiront de cette contrainte.

(e) Transposition ou réemploi de plus en plus *libre* dans des situations originales, nées souvent des hasards de la classe et consistant en jeux de langue. Certaines préfaces de méthodes parlent de « création et recréation ». Il est possible enfin qu'une évaluation soit effectuée au terme de l'unité didactique, mais on observe, en fait, qu'elle peut être facultative ou que sa périodicité varie, avec des contrôles intermédiaires ou au contraire situés au terme de plusieurs unités.

Comme toujours, il faut distinguer une « méthodologie d'élaboration », celle des concepteurs, et une autre « d'application », ce qui est induit effectivement dans les pratiques de classe. Il y a souvent loin de l'une à l'autre, comme l'observation le montre aisément (Porquier, 1974). Il est aussi apparu que le déroulement décrit ci-dessus était adapté au niveau des débutants, mais on observe au *niveau plus avancé*, souvent appelé niveau 2 :

- une plus grande souplesse dans la pratique de classe ;
- une place plus importante accordée à l'écrit ;
- un accès à une parole plus proche de la réalité sociale. Cet accès sera facilité par l'emploi de ce qu'on appellera plus tard documents authentiques, ou « matériaux sociaux » (Galisson), c'est-à-dire documents à visée initialement non didactique (images et textes : carte, formulaires, photos, tableaux, publicités...) ;
- une autonomie plus grande laissée à l'apprenant et à sa créativité personnelle ;
- une remise en question des objectifs : le centre de gravité de la méthode se déplace, d'une compétence linguistique, on envisage de plus en plus de passer à une compétence – le mot est enfin dit – communicative.

À partir des années 1970, la langue des MAV se fait plus variée, plus riche : elle correspond mieux à ce qu'on peut entendre effectivement dans la société, et elle prend en compte les registres propres à certains sociolectes ou variétés régionales. Avec la même souplesse, on tend à développer davantage les possibilités de réinvestissement des acquis et on a pu parler de *désystématisation* (Boyer, 1979), pour désigner le processus par lequel on veut amener à un réemploi autonome des acquis, ce qui semble aller de soi dans un apprentissage. Une partie de l'évolution vise alors à rendre compatibles certains principes des méthodes audiovisuelles avec les contextes scolaires. Mais les transferts dans une véritable communication sociale restent en pratique difficiles, et la cohérence des objectifs est loin d'être assurée. D'autre part, la thématique culturelle ne manifestera que rarement (et toujours avec timidité) l'histoire de l'époque et les transformations sociales.

VII. – Conclusion

S'il faut faire un *bilan*, disons que les nécessités de l'enseignement des langues ont, elles aussi, évolué avec le temps. Une autre doctrine a déjà commencé à se constituer autour de l'approche communicative. Mais ces propositions didactiques, que nous venons de tracer à grands traits et sans mentionner les discussions byzantines de la reconstruction « après coup », sont-elles caduques aujourd'hui ? On se doute que la méthodologie audiovisuelle a souffert autant de la lourdeur du matériel que d'être le résultat d'une démarche finalement assez empirique, entre théorie linguistique héritée de l'approche audio-orale et technologie nouvelle de l'image et du son enregistré. Puren (1994) a souligné combien l'évolution des MAV en contexte scolaire dont nous avons parlé plus haut a affaibli la cohérence initiale. Elle interroge pourtant nos pratiques et travaille encore dans des méthodologies plus récentes que nous serions naïfs de croire nées de rien. La présence du « visuel », par exemple, convient particulièrement à certains apprenants, et un enseignement tout « auditif » se prive absurdement des moyens de réussir, comme le confirme la psychopédagogie moderne.

Enfin, le déroulement de la leçon audiovisuelle décrit ci-dessus (Besse, 1975) ne renvoie-t-il pas à un schéma antérieur à elle, qui lui survit aussi, et dont quelques traits se retrouvent dans toute démarche d'enseignement ? « Chaque méthodologie est un produit non biodégradable qui laisse toujours des traces » (Galisson, 1980).

CHAPITRE III

L'approche communicative

La place qu'elle a prise dans le paysage de l'enseignement des langues étrangères amène à consacrer une étude toute particulière à cette approche, même si nous sommes ensuite amenés à en relativiser l'importance. Nous commencerons notre présentation de ce qu'on appelle *approche notionnelle-fonctionnelle* et/ou *communicative* par quelques points d'histoire.

I. – Les origines

On s'accorde à dire que l'émergence d'un corps de la doctrine communicative, si l'on peut parler ainsi, procède d'une demande institutionnelle et politique européenne du début des années 1970. Les échanges, en forte augmentation avec la construction progressive de ce qui est alors la Communauté européenne, semblent rendre nécessaire un enseignement des langues à la hauteur des nouveaux *besoins*. C'est l'analyse de ces besoins et la détermination des éléments linguistiques correspondants que le Conseil de l'Europe s'attache à promouvoir. En 1973, est publié à Strasbourg *Systèmes d'apprentissage des langues vivantes par les adultes* (Trim, Richterich, Van Ek et Wilkins), et peu après *Threshold Level*, programme communicatif de niveau minimal défini pour l'anglais conformément aux directives européennes (Van Ek, 1975). On voit, soit dit au passage, combien la politique aura joué un grand rôle dans l'histoire contemporaine de l'enseignement des langues, au moins sur le continent concerné, et combien les orientations actuelles, avec le CECRL, dont il sera question plus loin, sont le fruit d'une vision constante.

L'analyse des besoins procède de l'hétérogénéité des publics envisagés à ce moment et de l'évidence qu'il y avait à construire des outils, sans doute bâtis sur des modèles unitaires, mais adaptables, par exemple, en fonction du contexte (scolaire/non scolaire, enfant/adulte), du groupe linguistique d'origine, etc. L'identification des besoins langagiers est, à cette époque, effectuée par questionnaires (Chancerel, Richterich, 1977). Ce mode de repérage, qui porte sur des aires d'emplois (où, quand, comment, à qui parler), et sur la nature des échanges à rendre possibles, ne va pas sans difficulté.

À la suite, bien des questions sont à résoudre : comment mettre en place des dispositifs didactiques et pédagogiques réalistes dans l'urgence de la formation pour des catégories très différentes, touristes et voyageurs, travailleurs migrants et leurs familles, spécialistes et professionnels dans leur pays, adolescents en système scolaire, grands adolescents et jeunes adultes ; comment prendre en compte la variation individuelle, la personnalité et l'expérience des apprenants, leurs motivations ; comment réévaluer les besoins au cours de l'apprentissage et construire des parcours qui conviennent au plus grand nombre ?

II. – L'originalité des inventaires

Mais l'originalité de l'approche nouvelle tient beaucoup aux contenus et aux inventaires dans lesquels ceux-ci ont été recensés : *Notional Syllabuses* (Wilkins, 1973), *Niveau-seuil* (Coste *et alii*, 1976), *Waystage* (Van Ek, Alexander, 1977). De fait, la sélection effectuée par les linguistes de l'équipe de Trim ne renvoie plus à des catégories comme celles de la grammaire ou du vocabulaire, mais à des découpages conceptuels venus de la sociolinguistique, de l'ethnographie ou encore de l'ethnométhodologie pour qui le langage ordinaire dit la réalité sociale (Coulon, 1987), des domaines auxquels se réfèrent les spécialistes consultés à l'époque.

D'abord, quelle langue enseigner ? Un « niveau-seuil », par exemple, constitue « un ensemble d'énoncés permettant de réaliser tel acte de parole dans telle situation donnée », « à partir duquel chacun (pourra) opérer ses choix en fonction de ses propres objectifs, des contraintes et du contexte spécifique ». Et malgré certaines différences ou nuances entre les théoriciens, c'est en effet à partir de « notions » et « fonctions » que va se définir et s'organiser, dans la mise en œuvre d'un « acte de parole », le matériau de la langue enseignée.

Une *notion* est une catégorie d'appréhension ou, mieux, de découpage du réel. Elle est évidemment variable selon les groupes humains, pour lesquels des notions telles que taille, vitesse, fréquence, localisation, forme ou quantité ne sont pas conçues de façon identique. Une notion se traduit donc à travers les langues différemment : classificateurs, genre, nombre, flexion du nom, etc. L'intérêt d'une notion est lié à la fois à sa signification et à son rôle dans l'énonciation, c'est-à-dire dans les conditions effectives de la communication.

Une *fonction* est « une opération que le langage accomplit et permet d'accomplir par sa mise en œuvre dans une praxis relationnelle à autrui et au monde » (Galisson, Coste, 1976). Ce qui définit donc une approche notionnelle-fonctionnelle, c'est qu'à son point de départ on trouve une description des « fonctions sociales remplies par les actes de parole et leur contenu conceptuel » (Trim). La fonction est elle-même analysée et intégrée dans le déroulement de l'événement de parole (*speech event*).

La notion d'*acte de parole* a été mise en lumière dans les travaux de philosophie du langage d'Austin (1962) et de Searle (1969). Le langage est perçu d'abord comme un moyen d'agir sur le réel, et les formes linguistiques ne prennent leur sens que dans des normes partagées. Un bon exemple sera donné par l'examen des valeurs d'un énoncé français tel que : « La porte ! » et les autres « manières de dire » que tout francophone pourra lui substituer pour exprimer la même injonction (Roulet) : « Fermez la porte », « prenez la porte », etc. Dans cette vision dite « pragmatique » de la langue, les emplois d'un mot trouvent des fonctions différentes dans les différents emplois que lui fera prendre l'intention de l'énonciateur. « Acte de parole » désignera, à la suite de ces travaux, l'unité minimale de la conversation. Un événement de communication est en effet complexe, car constitué de transactions, d'échanges, de séquences, d'actes enfin (Jupp, 1978) « que les apprenants auront à accomplir dans certaines situations, envers certains interlocuteurs et à propos de certains objets ou notions » (*Adaptation d'un niveau-seuil*, 1979). Ainsi, au restaurant, on est amené à demander, proposer, accepter, refuser, exprimer son avis, etc.

Un *objectif fonctionnel d'apprentissage* décrit en termes de capacité le résultat d'un apprentissage (ici : les capacités langagières attendues). Il devra par conséquent répondre à l'intention énonciative de celui qui parle, opérée à travers des actes de parole. C'est donc dans un aller et retour de l'acte de parole à l'analyse des besoins et aux inventaires d'actes, notions et grammaire que se situe la tâche théorico-pratique du didacticien.

Ceci nous amène à évoquer l'exemple du lexique. Sans trop simplifier, disons que l'apprenant travaillait généralement à partir de listes de mots à mémoriser. Le regroupement de ces mots par thèmes et dans une présentation adéquate avait constitué un progrès, mais on est passé désormais à une approche plus intégrative et dynamique de contenus sémantiques (notions, fonctions), toujours inscrits dans le jeu des activités discursives. Cela ne signifie pas que la perspective « atomiste » de l'énumération des notions ait disparu, mais la voie est ouverte pour des propositions novatrices visant à faire réfléchir et classer plutôt qu'à accumuler. Inventaires et analyses des besoins langagiers ouvrent des perspectives considérables à une rénovation pédagogique. Ils n'en constituent pas pour autant un modèle de référence fermé, et c'est leur grand mérite que de faire la part belle à la créativité et à l'inventivité de l'apprenant dans une pratique sociale.

III. – Les priorités

En quoi y a-t-il retournement de point de vue ? La priorité va désormais être donnée à l'acquisition d'une *compétence de communication*, où les normes d'emploi se distinguent radicalement de celles du système linguistique (la « grammaire »). L'expression « compétence de communication » est une nouvelle forme de réponse à la question : que veut dire « savoir » une langue ?

Pour reprendre une distinction classique, il existe des normes de grammaire et des normes d'emploi (Hymes, 1972), et savoir une langue dorénavant, c'est savoir communiquer en connaissant la *règle du jeu* : « Il ne suffit pas de connaître le système linguistique, il faut également savoir s'en servir en fonction du contexte social. »

Bien entendu, cette analyse doit être affinée, car il y a dans l'acte de communiquer plusieurs « maîtrises » (Boyer *et alii*, 1990) :

- des composantes linguistiques (à élargir, naturellement, au paralinguistique : mimique, gestuelle, etc.) ;

– discursives (relatives à des messages organisés et orientés par un projet) ;
– référentielles (c'est-à-dire se rapportant à une expérience « scientifique » du monde) ;
– socioculturelles (règles sociales et normes de l'interaction, humour ; Moirand, 1982).

Mais les problèmes se posent lorsqu'on imagine de « didactiser » la notion de compétence communicative pour pouvoir enseigner : beaucoup de stratégies communicatives relèvent de l'individuel ou de l'instantané. Elles ne sont guère formalisables, ni reproductibles. À partir de quel moment une règle socioculturelle est-elle assez stable pour qu'on l'identifie ainsi et pour qu'on puisse l'intégrer à un syllabus ? S'agissant d'évaluer son acquisition, comment sera-t-elle mesurable ? Nous verrons que, malgré sa flexibilité, la méthodologie communicative se trouvera, elle aussi, mise en question.

IV. – Quelques lignes de force

Les grandes orientations de l'approche communicative n'en sont pas moins remarquables (Debyser, 1986) :

– un « retour au *sens* », avec une « grammaire notionnelle, grammaire des notions, des idées et de l'organisation du sens », et des progressions plus souples ;
– une « pédagogie moins répétitive », avec moins d'exercices formels au profit « d'exercices de *communication* réelle ou simulée beaucoup plus interactifs », car « c'est en communiquant qu'on apprend à communiquer » ;
– la « centration sur l'*apprenant* », quand l'élève est « acteur principal de son apprentissage » et « sujet actif et impliqué de la communication » ;

– des « *aspects sociaux et pragmatiques* de la communication » novateurs, puisque ce ne sont pas des savoirs, mais des savoir-faire qui sont pris directement « comme objectifs de la leçon ».

Il y a, au moins dans les conceptions, une forte articulation de ces composantes de la situation d'enseignement/apprentissage : la langue et les contenus culturels sont envisagés dans une perspective de communication sociale, les tâches et les modes de relation entre les participants sont redéfinis sur un fond de théorie d'apprentissage où le sujet réapparaît, en rupture avec le schéma béhavioriste.

V. – Apprendre dans une approche communicative

Étayée par des théories de référence qu'elle emprunte aux sciences humaines, la didactique fait de la recherche de l'*authenticité* l'un de ses maîtres mots. Dans la classe, les finalités de l'apprentissage sont explicitées, des objectifs communicatifs sont clairement affichés et figurent souvent dans un tableau du manuel dont dispose l'apprenant (« Voici ce que vous apprendrez à *faire* dans cette unité… »).

La détermination des besoins langagiers amène la définition d'une *progression notionnelle-fonctionnelle*. Elle tentera parfois, avec un bonheur inégal, de concilier la démarche linguistique, fondée sur un classement des éléments, et celle de l'urgence communicative, où des formes d'apparence simple, mais complexes au fond, peuvent être prioritaires. Par exemple, en français, le décodage de « ça va », avec ses diverses intonations et ses valeurs pragmatiques, ne laisse pas l'apprenant indifférent.

L'apprenant est mis en situation d'être l'acteur *autonome* de son apprentissage. On parle alors de « conscientisation », d'un « éveil à l'attention à la langue » (Hawkins, 1984). L'expression personnelle et le « vécu », pour reprendre un mot alors à la mode, vont avoir leur place dans des situations qui tendent à adopter un sens social acceptable : mise en scène de jeux de rôle sur un canevas souvent humoristique, simulations visant à la résolution d'un problème, etc.

Le fonctionnement des réseaux de communication dans la classe et la *dynamique du groupe* sont inscrits dans le discours du communicatif sur lui-même. Les préfaces de manuels vont jusqu'à parler de « démocratie », de « connivence », de « vie coopérative permanente ». Pour le moins, il y a acceptation du discours de l'autre, des spécificités et variétés de la parole circulante (interlangue, variétés régionales ou propres à un milieu social, etc.). Il y a acceptation aussi du bien-fondé de la communication dans la classe, et c'est pourquoi les termes « contrat » et « négociation » reviennent si souvent chez les didacticiens du communicatif.

Les tâches et activités sont liées à l'acquisition d'un contenu notionnel/fonctionnel immédiatement réutilisable, pour les quatre habiletés de base, et le développement de savoir-faire et de savoir-être prend le pas sur les savoirs. Dans un tel contexte, les outils et documents sont eux-mêmes qualifiés d'authentiques.

De tels documents – rappelons-les : articles de journaux, schémas, photos publicitaires, bandes dessinées, etc. – sont souvent perçus comme plus motivants, plus propres à faire naître l'expression personnelle et l'autonomie. Ils sont aussi plus proches de l'usage langagier réel, donc de nature à susciter connaissances et réflexion chez l'apprenant sur les conditions sociales et culturelles de leur production (Bérard, 1991).

Le *rôle de l'enseignant* ne saurait, dès lors, qu'en être modifié. Il reste sans aucun doute la référence linguistique, celui qui corrige avec modération et évalue des performances, à un moment ou à un autre. Mais il est surtout conscient du « paradigme » général, de l'arrière-plan de son enseignement : une théorie linguistique fondée sur la communication et une théorie de l'apprentissage basée sur la différence et l'autonomie. Il définit, organise et fait accepter, par ses interventions, les tâches et le mode de fonctionnement. Il instaure un climat de travail et reste à l'écoute du groupe-classe, des groupes lors des activités autonomes, et des apprenants qui ont leurs styles et leurs parcours d'apprentissage propres.

En somme, l'approche communicative peut être envisagée comme un système voué à intégrer des dispositifs diversifiés et ceux-ci ont pour finalité d'impliquer l'apprenant dans une *communication orientée* : « Cela signifie, par exemple, lire avec l'intention de s'informer, écrire avec l'intention de satisfaire un besoin d'imaginaire, écouter avec l'intention de connaître les désirs de quelqu'un, parler avec l'intention d'exprimer ses propres sentiments » (Germain, LeBlanc, 1988).

VI. – La didactique au jour le jour

Dans la double opération qui caractérise la tâche de l'apprenant, l'approche communicative déplace le centre de gravité : il s'agit non d'apprendre pour communiquer ensuite, mais de lier intimement les deux. En réalité, dans de nombreux contextes traditionnels, l'institution impose encore une fois une recherche d'équilibre ou une successivité, quasiment manifeste dans les textes pédagogiques. C'est qu'il s'agit aussi, pour l'école, de structurer des acquisitions à travers des exercices évaluables.

(a) C'est sans doute pourquoi on peut parfois se sentir loin des enthousiasmes initiaux du communicatif : le besoin de certifications en langue étrangère, le désir de valider, voire de monnayer son apprentissage, semblent avoir déclenché des *exigences nouvelles*. Dans un contexte purement scolaire, l'enseignement risque de s'écarter encore plus de l'esprit du communicatif initial. Lors des examens académiques, le candidat semble plus soucieux de répondre « comme il faut » que de s'exprimer avec authenticité.

(b) Néanmoins, l'attention que l'enseignant porte aux erreurs de l'apprenant et la manière nuancée avec laquelle il procède à la correction témoignent souvent d'*un regard différent* sur les productions. On suggère de moduler l'intervention selon les priorités du moment : exigence de justesse (*accuracy*) lors de la mise en place d'une notion, exigence de fluidité (*fluency*) dans la parole librement exercée. Allwright et Bailey (1991) voient même comme un objectif à long terme que les apprenants sachent s'autocorriger et intérioriser les formes justes, dans la mesure où ils considèrent surtout que « traiter n'est pas guérir ».

(c) C'est dans cette optique que l'on observe un *retour à la langue première* de l'apprenant, sous la double forme de l'analyse contrastive ou différentielle de L1 et L2 et du recours à la traduction. Mais la signification a changé : on n'imagine plus d'expliquer des « fautes » occasionnelles par la seule interférence avec le système source, encore moins de prévoir des erreurs systématiques en fonction du groupe linguistique d'appartenance. Il s'agit plutôt de *faire prendre conscience* de la spécificité, de l'originalité même de chaque langue, d'en faire ainsi émerger l'histoire, de manifester des implications socioculturelles divergentes. L'activité métalinguistique contribue dans ces conditions à une ouverture d'esprit, à une éducation qui dépassent le simple contexte de l'apprentissage.

Très explicite dans les méthodes les plus récentes (« Cherchez dans le dictionnaire… »), la *traduction* fait l'objet d'un intérêt renouvelé (Cristea, 1995). L'analyse contrastive, comme la traduction, contribue à l'élaboration d'une grammaire comparée qui permet une meilleure prise de décision et la traduction peut être utilisée autant comme procédé d'acquisition que comme test de compétence, son rôle traditionnel pour les langues mortes, notamment.

VII. – Un bilan critique

On voit donc quel a pu être l'apport positif de l'approche communicative à la didactique de notre temps. Bien entendu, la réflexion ne s'est pas arrêtée : dès le début des années 1980, sont publiés des articles et des livres aux titres significatifs, en France par exemple : *Polémique en didactique* (Besse, Galisson, 1980), ou *Ralentir, travaux* (Beacco, 1979). Beaucoup de didacticiens se sont préoccupés sans retard de pointer du doigt les évidentes difficultés que devait rencontrer la vogue du « communicatif ». Et puis, rendre compatibles les ambitions du communicatif avec des contextes scolaires n'allait pas être tâche facile. Une énumération d'*objections* éloquente a été faite par R. Galisson (1980).

1/ « Le projet, écrivait-il, néglige le gonflement du coût inhérent au passage d'un savoir linguistique à un savoir communicatif. »

2/ « Les concepts de base, empruntés et paupérisés, manquent de fiabilité » (l'auteur cite les besoins langagiers, dans leur articulation confuse avec les besoins d'exister ou de se réaliser ; la compétence de communication dont on ne sait si elle est « enseignable », etc.).

3/ « L'éclectisme en matière de théories de l'apprentissage s'explique aussi par… l'ignorance [de l'enseignant] ».

4/ « La question du mono- ou du bilinguisme pédagogique n'est pas posée au fond. » En d'autres termes : quelle doit être la « langue de la classe » ?

5/ « La situation faite à l'enseignant est pour le moins inconfortable » ; ou encore : il n'est en rien préparé à travailler à rebours de ce qu'il faisait avec les méthodologies antérieures, et il « se voit écarté du devant de la scène pédagogique ».

6/ « L'autonomisation de l'apprenant appelle quelques réserves » (ou encore, textuellement, ajoute Galisson, « l'autogestion, c'est pas de la tarte »).

7/ « Linguistes, psycho- et sociolinguistes campent sur leurs positions » ; et « les conflits d'influence éclatent » entre eux.

8/ « L'approche dite fonctionnelle éclate en courants divers (pour ne pas dire divergents) » (Galisson, 1980).

L'approche communicative n'est donc pas plus que ses devancières à l'abri des critiques, et elle a donné lieu à des discussions à propos desquelles Coste rappelle avec humour le mot d'Ionesco : « La philologie mène au crime. » En tout cas, le courant communicatif était passé sur une didactique contemporaine parfois confinée dans le structuralisme et le béhaviorisme et qui se serait satisfaite d'une *connaissance cumulative*. Certes, il y a eu parfois beaucoup de verbalisme quant aux objectifs affichés et peut-être le développement de la compétence linguistique est-il resté parfois discrètement privilégié. La réussite des méthodes inspirées de l'approche communicative en milieu extrascolaire, et en particulier dans des stages intensifs, comme cela avait été jadis le cas pour le programme américain ASTP, a peut-être trop facilement conduit à leur généralisation dans des contextes aux traditions et aux finalités par trop incompatibles.

Et puis, est-ce la *centration* sur l'apprenant qui fait que l'apprenant n'a pas vraiment à se décentrer lui-même (Besse, 1980) ? On peut se demander ce que devient la culture de l'autre, donc la découverte que l'on fait de lui, dans une approche doublement marquée, d'abord par des concepts en partie hérités de l'ethnographie de la communication, mais, à certains égards, marquée aussi par la valorisation du comportement de l'apprenant, et peut-être d'un certain narcissisme. On voit ainsi que la question de l'individu, de son autonomie effective, est encore discutée, alors même que les ambitions initiales étaient placées très haut : « Il importe de donner à l'apprenant les moyens de se construire une personnalité de sujet parlant dans la langue qu'il apprend, faute de quoi elle lui resterait étrangère » (Martins-Baltar, 1976).

Ancrage culturel des compétences communicatives, *autonomie réelle* de l'apprenant, nous faisons de ces deux points, pour notre part, la pierre de touche de la méthodologie. À quoi servirait, au fond, sans cela, l'approche communicative ? Il faut se rappeler qu'on trouve à son berceau une volonté du Conseil de l'Europe de faciliter la mobilité des hommes et leur intégration dans des sociétés dites d'« accueil ». Et l'on sait que ces objectifs perdurent : grâce à une connaissance réciproque des langues étrangères de l'Union européenne élargie, développer le bien-être social et la meilleure entente possible entre ses composantes.

VIII. – Le Cadre européen commun de référence pour les langues (CECRL) et la perspective actionnelle

C'est à partir de cette vision politique et philosophique qu'est né, depuis une vingtaine d'années, un « outil essentiel pour la création d'un espace éducatif européen dans le domaine des langues vivantes ». L'idée de base – « favoriser la transparence et la comparabilité des dispositifs d'enseignement et des qualifications en langues » – s'est concrétisée très vite par un document-cadre, le CECRL. Des outils immédiatement utilisables ont suivi, tel que le *Portfolio européen des langues* (PEL), « qui permet à l'apprenant de consigner ses compétences linguistiques et ses expériences culturelles » et, bien sûr, d'y réfléchir au profit de ses apprentissages en langues. L'apport direct du CECRL, qui visait en premier lieu à intervenir sur l'évaluation en indiquant des niveaux et échelles de référence et des descripteurs de compétences (être capable de...), s'est trouvé largement dépassé. Au risque de devenir une norme et non plus une référence, le CECRL fait un peu figure de statue du commandeur pour les méthodologues en Europe et dans la zone d'influence, au point que le moment semble venu de le « recadrer » lui-même (Forum de Strasbourg, 2006 ; colloque FIPF/CIEP Sèvres, 2007 ; projet « d'amplification », 2016). Globalement, l'approche communicative (qu'il ne renie pas, mais entend dépasser, glissant de la simulation à l'action sociale effective) doit se trouver régénérée : la *perspective actionnelle*, basée sur des tâches à accomplir, vise à un « agir-ensemble » (des partenaires, de la classe...), avec des résultats observables, et cette dimension est liée à un projet partagé. Dans ce « couteau suisse » (Coste, 2014), le numérique est singulièrement réduit à une fonction ancillaire. Mais l'ensemble est cohérent : politique linguistique, refontes curriculaires et méthodologiques, outils et pratiques de classe. Il pourrait avoir de profonds effets sur le paysage éducatif européen, au prix, toutefois, d'une volonté politique et culturelle soutenue.

IX. – Conclusion

Nous terminerons sur une observation générale. Il faut nuancer fortement l'idée que l'approche communicative serait *la* didactique des langues étrangères. D'abord, elle concerne une aire culturelle relativement homogène, celle du monde occidental. On peut y agréger, comme on vient de le dire pour le CECRL, des zones variées, par exemple les pays d'influence culturelle ou ceux qui sont touchés par une action linguistique étrangère, à travers des instituts, des fondations, des services de coopération. Il faudrait donc regarder, cas par cas, ce qui se passe pour ces pays, en Afrique, en Asie, en Océanie… On y trouverait sans doute des didactiques tantôt identiques, tantôt calquées sur les mouvements des nôtres, ce qui peut signifier, même après d'hypothétiques émancipations culturelles, des formes d'hypercorrection, d'exagération des conformismes comme de la « révolutionnite » didactique. Il restera à voir de près l'usage que des systèmes éducatifs qui ont une culture d'enseignement et des problématiques éloignées feront de nos récentes évolutions vers une perspective actionnelle. On y parle parfois de contextualiser, d'adapter, voire d'adopter, le CECRL. Il serait dommage que ne puisse se développer ailleurs une réflexion didactique propre.

Les présupposés de notre didactique autorisent-ils, en effet, tous les *transferts méthodologiques* ? N'entrent-ils pas souvent en conflit avec les modes de sentir et de penser des sociétés auxquelles nous transmettons nos outils, nos conceptions, nos formations ? On a pu se demander ce qu'il en est du « prêt-à-porter communicatif », riche en activités de débats et jeux de rôle, quand on sait comment les choses se passent ailleurs (D.L. Simon, 1992) : en communication exolingue, « les Coréens auraient tendance à aligner leur discours sur celui de l'autochtone, en atténuant, voire en esquivant l'opposition » (H.S. Sun). Au Japon, la conversation fonctionne sur le mode de la convergence émotionnelle, d'une reconnaissance mutuelle de la conformité, voire même de l'affinité entre les personnes en relation, et non sur le mode de l'échange argumentatif que nous avons hérité de nos controverses et suasoires (T. Higashi). Une Thaïlandaise, conclut que « la prise en compte de la spécificité culturelle du public apprenant ne peut que combler les carences d'une pédagogie d'innovation basée sur le transfert de modèles conçus dans des contextes culturels très différents » (S. Chantkran).

De même, ces didactiques exportées interrogent le statut de l'enseignant d'autres aires culturelles, sa place comme individu dans la classe par rapport aux attentes sociales, son comportement comme « maître » et comme éducateur. Souvent, le choix même des langues d'enseignement n'étant pas totalement réglé, l'importance culturelle des options méthodologiques pose problème.

Dans le système éducatif français lui-même, la *situation* est plus que *nuancée*. Certes, les filières universitaires du français langue étrangère (« FLE ») et l'enseignement de l'anglais langue étrangère (« EFL ») ont adopté sans ambiguïté, mais non sans débats, ni accommodements, des positions favorables à l'approche notionnelle-fonctionnelle et communicative, puis engagé le dialogue avec les directives éducatives européennes.

Mais d'autres langues sont mises sur la défensive. « Pour des raisons diverses, notre discipline se perçoit davantage comme enseignement que comme apprentissage », disait, il n'y a pas si longtemps, un enseignant d'allemand. « Cet apprentissage est plus centré sur le code que sur l'élève, et il est par conséquent mieux compris dans sa dimension linguistique que dans sa dimension fonctionnelle et communicative ».

Sur la planète des langues, il est peu probable que l'approche communicative soit à l'heure actuelle dominante. De grands ensembles éducatifs, chinois, indiens, japonais et coréens, par exemple, sont trop fortement structurés par leur passé en matière d'éducation et de culture – bouddhiste, confucéenne – pour accepter sans réflexion d'y sacrifier. Certes, on peut imaginer, en ce début de IIIe millénaire, que leur capacité à allier tradition et modernité portera ses fruits. Sans doute auront-ils, d'ailleurs, beaucoup à apporter à une didactique générale des langues du monde, et nous le verrons plus loin, ils le feront sans doute tout autant par leurs technosciences que par leur culture éducative. On est loin de l'unanimité, fût-elle de façade, et l'enseignant appelé à des choix didactiques sait bien qu'ils sont tributaires d'une réalité *globale* et que celle-ci dépasse ses prédilections personnelles.

CHAPITRE IV

Questions et perspectives

Pour aller au terme de ce parcours, nous essaierons d'aider le lecteur à aborder quelques questions importantes, sans aucune prétention à les traiter à fond. Nous verrons ensuite que de nouvelles thématiques de recherche se proposent, porteuses d'évolutions profondes. Mais si l'on se demande *comment* la didactique va changer, on doit aussi se demander *pourquoi* elle devrait le faire. Les facteurs extérieurs repérables se situent à plusieurs niveaux :

- autour de l'apprenant : la différenciation des publics, le temps partagé et l'éducation « au-long-de-la-vie », les besoins professionnels, l'intérêt pour une « communication spécialisée » destinée à des « publics spécifiques » et favorisant des apprentissages autonomes ;
- autour du scientifique et du technologique : le cognitif, les sciences de l'homme et de la société ; le numérique, les réseaux de communication, « autoroutes de l'information », le multimédia, l'ingénierie éducative (par exemple, relative aux formes de scolarisation : lieux, temps, rythmes, parcours) ;
- autour du politique et de la mondialisation des échanges dans un paradigme d'économie néo-libérale qui fonde la postmodernité (ce que Jameson, 2007, appelle « la logique culturelle du capitalisme tardif ») : par exemple, le recentrage sur la zone Asie-Pacifique entre la Silicon Valley et Singapour, les (dés)équilibres démographiques, les conflits armés et les migrations forcées ;

la standardisation et les transferts de concepts ou de produits entre « centres » et « périphéries », mais aussi la répartition inégalitaire des richesses ;
- autour de l'idéologique, du sociétal et du philosophique : la reconstruction géopolitique de l'Europe, une communication planétaire qui confine à l'« infobésité », le métissage des cultures, le voyage comme connaissance, le « vivre-ensemble ».

Nous croyons à un *durcissement* de la didactique, parce qu'elle n'a jamais été si proche de son objet, jamais si informée des gisements de ressources qui l'environnent et sont à sa disposition, jamais si consciente de ses erreurs et des limites de son action. Bien loin d'un empirisme auquel voudraient la confiner ceux qui croient qu'enseigner est affaire d'intuition et de « ficelles », elle appelle toujours davantage de théorisation et de professionnalisation. Voyons de plus près quelques domaines clés du changement.

I. – Organisation d'un enseignement

« Pour que les enseignants et les apprenants puissent se rencontrer dans le but d'enseigner et d'apprendre une langue, avertissait non sans à-propos un spécialiste, l'institution doit établir un *programme* dont la fonction est de : prévoir/choisir – décrire/expliquer – proposer/imposer… les contenus et les modalités de réalisation des actions d'enseignement qui sont censés provoquer celles d'apprentissage » (Richterich, in Coste, 1994).

La notion de programme dépasse largement la question linguistique à laquelle on croyait pouvoir l'assimiler. Dans tout enseignement, signalait Mackey dès 1972, le groupage, la séquence et la *progression* des contenus sélectionnés, autrement dit l'organisation séquentielle de ces contenus, leur ordre d'acquisition, forment un problème complexe et dont la résolution laisse généralement insatisfait. Ainsi le critère de facilité (enseigner le plus simple d'abord) est-il souvent mis en avant, malgré son ambiguïté : paraîtra plus difficile, indique encore Mackey, un élément inconnu qui ne permet pas l'analogie avec le connu, qui est trop long ou manque de rapports avec son environnement. Mais il y a d'autres critères : l'utilité, la motivation de l'apprenant, les difficultés rencontrées, le contexte, etc.

La construction d'un programme d'enseignement au sens étendu – espace, temps, objectifs, évaluation, contenus, moyens auxiliaires, idéologie – pose avec encore plus d'acuité le même type de questions (Martinez, Miled, Tirvassen, 2011). Les termes de programme, ou encore de plans d'études, de cursus, ne semblant pas répondre à cette complexité, c'est autour de la notion de curriculum que des solutions peuvent être trouvées. Le *curriculum* est la forme que prend l'action de rationalisation conduite par les décideurs pour faciliter l'expérience d'apprentissage auprès du plus grand nombre d'apprenants (Martinez, in Cuq, 2003). Distinct du *syllabus* qui recouvre en gros le contenu plus la progression, le curriculum peut être comparé à l'architecture de la formation. Il manifeste une tendance intégrative, des tentatives de conciliation souvent, qui laissent bien loin les anciennes conceptions programmatiques, où le découpage se faisait en priorité sur une thématique lexicale ou sur les actes de parole de l'échange communicatif.

Le développement – l'élaboration – d'un curriculum le fait apparaître comme un *système dynamique* (Richards, Rodgers, 1986). La phase initiale est l'évaluation des besoins, qui doit prendre en compte nombre de considérations extérieures : administratives, éducatives, psychosociales et logistiques. C'est à partir de cette mise au jour des besoins que va se faire la définition d'objectifs d'apprentissage. Enfin intervient véritablement l'élaboration d'un programme d'action où entrent en jeu, pour résumer, méthodologie, méthodes, moyens et évaluation. Un tel schéma de travail, assurément rationnel, peut paraître aussi excessivement rigide. Attentifs à ne pas tomber du systémique dans le systématique et conscients de la nécessaire adaptabilité des solutions retenues face à des besoins complexes, Richards et Rodgers n'excluent pas un « éclectisme informé », c'est-à-dire une ouverture faite avec discernement sur d'autres méthodes.

Le *curriculum multidimensionnel* proposé par Stern (1983, puis 1992) aborde d'une manière intéressante le problème. Les objectifs sont classés sous quatre rubriques : objectifs de compétence, objectifs cognitifs, objectifs affectifs, objectifs de transfert. Les contenus figurent dans quatre composantes, complétées ultérieurement par l'évaluation :

- un syllabus de langue : prononciation, grammaire, analyse fonctionnelle ;
- un syllabus d'activités communicatives ;
- un syllabus culturel ;
- un syllabus d'éducation langagière générale.

Il y aura ensuite à définir des stratégies d'enseignement, fortement intégrées autour de la composante « communicative/expérientielle », de ce schéma, mis en œuvre sur une large échelle au Canada. Une « unité zéro » du programme canadien vise même à conscientiser l'élève à la nouvelle approche.

On pourra dire avec Johnson (1989) que « le développement du curriculum [...] inclut toutes les démarches adéquates de prise de décision par tous les participants », car, en fin de compte, la mise en œuvre didactique dépend de tous les partenaires et non des seuls concepteurs. Il existe un « curriculum caché », qui relève des apprenants, et la construction « de haut en bas » (Nunan, 1988) d'un curriculum est peut-être, au fond, une pure possibilité théorique. Elle résout difficilement les problèmes « locaux » qui ont présidé à son émergence, car elle relève – à l'image du *National Standard* américain de 1996 – d'une vision littéralement politique de l'enseignement.

C'est bien cette difficulté que révèle le CECRL, au cœur du projet de plurilinguisme européen. On voit comme la validité des choix opérés peut être remise en question, sur le terrain, dans les pays de l'Union : les pays restent maîtres de leurs décisions, les cultures éducatives et les apprenants changent, les paramètres institutionnels évoluent. Une méthode validée sur un échantillon limité échoue dans un contexte plus étendu (c'est bien le problème d'un enseignement à grande échelle) ou quand on l'emploie sans formation adéquate. Or, il n'est pas si général qu'un changement de méthode soit accompagné d'une sensibilisation et d'une formation des utilisateurs. Enfin, la volonté politique doit se donner les moyens de la réussite, avec la constance nécessaire.

II. – Oral

Nous avons vu plus haut que la langue orale a occupé une place importante dans les méthodologies modernes et constitué souvent le point de départ de l'apprentissage. La *description de l'oral* fait l'objet de nombreux travaux et cette description a pris le pas sur l'attitude prescriptive des études antérieures. Celles-ci visaient plutôt à manifester des marques d'écart par rapport à une norme (absence de « ne » dans « ne… pas », ruptures syntaxiques, etc.), et on voyait donc se renforcer, dans l'enseignement des langues et surtout dans la classe, une attitude de dévalorisation d'un oral authentique.

La variété des documents et des registres de langue va, par conséquent, s'en trouver désormais augmentée. Ceci n'est pas sans poser problème, bien sûr : comment intégrer dans les paramètres d'un cours la norme sociale ou les variétés de la langue présentée par l'enseignant sans donner une image déformée de la société ? Rien de plus insaisissable, entre autres exemples, que le « parler jeune », les « registres de langue » (vulgaire, familier, standard, soutenu…) ou les variétés régionales.

Néanmoins, on voit se diversifier les pratiques de classe, tant du côté de la compréhension que de la production : entretiens, jeux de rôles et simulations impliquant résolution de problème ou décision à prendre, émissions de radio ou de télévision, courtes informations (« flashes »), bulletin météorologique, récit, consignes de travail, etc.

Quelques grandes orientations peuvent être admises, qui touchent, d'une part, à la « perméabilité » des deux codes, oral et écrit, et à leur nécessaire complémentarité plus qu'à leurs différences ; d'autre part, à la créativité de l'apprenant, sa capacité à produire des énoncés personnels intervenant dès les débuts de l'apprentissage. Les exercices au laboratoire de langues, éventuellement le dialogue sur Internet où l'enseignant peut entamer un travail collaboratif avec l'apprenant, semblent dès lors retrouver une certaine faveur, après une période de lassitude due à la recherche, parfois excessive, de systématisation. On peut en repérer les raisons : les attentes de l'apprenant, son désir de structurer ses acquisitions, dans une perspective qui n'est plus celle du béhaviorisme ; la miniaturisation et la facilité d'emploi des matériels actuels ; la recherche d'outils favorisant l'auto-apprentissage.

Dans de nombreux pays, le travail d'apprentissage des phonèmes reste un préalable à une approche de la L2, en dehors de toute finalité discursive et de tout intérêt communicatif. Il faudrait probablement affermir une prise de conscience de l'importance de l'oral (phonétique, schéma intonatif, relation avec la mimique et la gestuelle, rythme de la phrase, chanson, etc.), donc reconsidérer son évaluation, et renforcer des activités de remédiation plus ou moins systématiques en fonction des objectifs recherchés et des difficultés communicatives éprouvées.

III. – Grammaire

Le rôle joué par la grammaire dans la didactique des langues est des plus controversés. Une raison tient sans doute au flou de sa *définition*, qui recouvre la description des règles de fonctionnement général d'une langue, ou un ensemble de prescriptions imposées à ceux qui parlent, ou encore le système des règles de L2 intériorisées par l'apprenant (Galisson, Coste, 1996). L'emploi de la *métalangue*, du commentaire explicite sur la langue apprise, est, bien entendu, un héritage de la méthodologie classique « grammaire-traduction ». Les descriptions que nous offrent les grammaires traditionnelles sont tournées vers les grands textes, elles négligent l'oral ; on imagine qu'elles conviennent mal aux pédagogues et aux élèves.

Il faut toutefois rappeler que l'analyse de la langue n'occupe pas la même place dans tous les pays. « De quelle quantité de grammaire l'être humain a-t-il besoin ? », se demandait, après tout, un spécialiste allemand. Si l'acquisition implicite de la grammaire en L2 (comme en L1 d'ailleurs) domine la tradition dans certaines cultures, anglo-saxonnes par exemple, son apprentissage comme partie du curriculum en caractérise d'autres. Les images de la norme prescriptive s'inscrivent sans doute encore dans des schèmes culturels et scientifiques plus larges : Besse (1989) évoque une « (pré)conception juridique forte » chez des enseignants arabophones. On doit d'ailleurs remarquer que la recherche empirique n'a guère montré, à ce jour, une supériorité d'un système d'appropriation sur l'autre.

D'autre part, la métalangue peut amener à recourir à la traduction interlinguale (les consignes des exercices seront en L1) ou donner lieu à un apprentissage spécifique. Il faudra donc d'abord apprendre à dénommer les *catégories grammaticales*, et c'est en L2 qu'il faudra peut-être comprendre la consigne d'un exercice. Dans ce cas, une part de l'activité est détournée vers des tâches linguistiques au détriment d'autres objectifs ; d'un autre côté, les catégories grammaticales, en L1 et L2, peuvent fort bien ne pas correspondre à la « grammaire mentale » de l'apprenant. Un bon exemple est fourni par une « grammaire distante », comme celle du hongrois : il n'y a qu'un seul temps du passé, mais plusieurs aspects marqués par un « préverbe » (Kiss, 1989). En tahitien, une marque énonciative « mai » permet d'indiquer qui assume le discours : « C'est joli (mai) à elle » = « Elle est jolie et c'est moi qui le dis » (Fève, 1992). Besse et Porquier (1984) ont rappelé que des catégories prétendument absentes en français existent en réalité (cas des classificateurs : « un pied de salade, une noix de beurre », etc., cité par Cao Deming, 1983).

La grammaire explicite paraissant présenter des difficultés démesurées par rapport à son intérêt, certaines méthodologies directes et audiovisuelles systématisaient l'apprentissage à travers le découpage linguistique et l'exercice structural, où réflexe n'est pas réflexion. Pendant les premières années du communicatif, on trouve très souvent, dans les manuels, des règles exposées sous forme d'encadrés ou de tableaux récapitulatifs, comme aide-mémoire. Et si le modèle grammatical dominant cède du terrain, comme l'a montré Vivès (1989), les raisons ne manquent pas :

- les besoins de l'apprenant déterminent les contenus d'enseignement, et il n'apparaît pas souvent que la grammaire soit prioritaire ;

- la notion d'interlangue conduit à regarder de près le processus de construction des règles (les termes de « grammaire d'apprenant » et de « grammaire pédagogique » sont en vogue) et non un système figé et normatif. On pourrait aussi faire valoir qu'une grammaire « intériorisée » par l'apprenant n'est jamais la grammaire décrite par les linguistes ;
- la correction des fautes ou des erreurs, loin d'être vécue comme un échec, contribue à une pédagogie du progrès.

L'approche communicative invitait en fait à construire une *grammaire sémantique*, dont Courtillon (1989) indiquait les traits : l'apprenant devrait pouvoir choisir « la forme qui convient pour véhiculer sa pensée sans avoir à faire appel à une règle apprise ». Dans une logique pragmatique, les formes sont classées en séries communicatives et non linguistiques, l'insertion est situationnelle, la gradation va du simple au complexe. La démarche d'acquisition fait se succéder : découverte par observation d'énoncés, intercorrection du groupe, conceptualisation, c'est-à-dire formulation par l'apprenant (Besse) et synthèse. On voit qu'il y a là une position, dans le meilleur des cas, réflexive, mais il n'en reste pas moins qu'un apprenant n'est « *a priori* ni linguiste ni grammairien » (Porquier) et que son activité vise d'abord à produire du sens.

On peut imaginer que la conception d'une grammaire toute faite a reculé, et que le constructivisme est désormais mieux accepté. Il nous semble pourtant que l'évolution est fragile. En cas de difficulté, pour se sécuriser, on redemande de la grammaire « préconstruite ». Ainsi, des enquêtes (par exemple, Hayne et Yorio, au Canada, 1982) montrent qu'un apprenant peut souhaiter simultanément développer ses compétences communicatives et bénéficier d'un apprentissage grammatical traditionnel. La question semble bien aujourd'hui ne pas être « faut-il ou ne faut-il pas faire de la grammaire explicite ? », mais « dans quelles conditions est-il possible de la mener à bien ? » (Besse, Porquier, 1984).

Même les finalités de la grammaire, qui ne sont pas seulement instrumentales, mais aussi éducatives et (inter) culturelles font que des exigences réapparaissent, naguère plus discrètes. Il y a peut-être des progrès à attendre, du côté du numérique ou des auto-apprentissages, mais la « malédiction paradigmatique », selon le mot de Beacco, la réduction des descriptions grammaticales à des listes de formes à apprendre, n'a sûrement pas cessé de planer sur la classe de langue.

IV. – Écrit

Acquérir une double compétence lire/écrire paraît être une urgence dès les débuts de l'apprentissage. Les fonctions de l'écrit sont en effet si larges (Stern, 1983) et Internet lui a redonné un tel rôle qu'il trouve sa place dans tous les domaines, dans l'action (lettre commerciale ou lettre d'amour, publicité, consignes de travail), l'information (enseignement, presse), comme dans le divertissement (jeu, littérature).

Dès les années 1970 apparaît une nouvelle façon de définir la *lecture :* un processus qui ne se résume pas au décodage de signes graphiques, mais manifeste une construction de sens à partir d'opérations physiques et cognitives complexes (prélèvement d'indices identifiés, mémorisation à court et long termes, anticipation, hypothèses sur l'intention énonciative, vérification, etc.). Lire n'est donc pas un acte mécanique, mais implique, outre une connaissance du code, une expérience antérieure, des intuitions et des attentes. Enfin, la lecture oralisée (à voix haute) ne constitue plus une fin en soi : on commence à admettre la prééminence du sens sur le simple transcodage du graphique au sonore (lecture ânonnée en chœur). En tant qu'activité sociale, lire se fait d'ailleurs en silence plus souvent qu'à haute voix.

Si les pratiques de lecture n'avaient jamais vraiment été absentes, même avec les méthodologies audiovisuelles, c'est que différentes variétés d'écrits restaient un passage obligé, à travers le manuel comme dans les documents d'accompagnement. Le « tournant méthodologique des années 1970 » (Lehmann, in Coste, 1994) amorce de nouvelles approches, plus globales, en prise sur des besoins fonctionnels mieux analysés. Le communicatif multiplie les documents sociaux *diversifiés* et la didactique de l'écrit amène à concevoir comment développer chez l'apprenant des compétences générales en lecture. Les exercices proposés font perdre à celle-ci son caractère linéaire, avec des opérations variées (chercher, comparer, prélever...), étant entendu que lire en L2 impose une réorganisation des schèmes acquis pour la lecture de L1. On pensera, bien sûr, au sens de la lecture, selon qu'il a été d'abord de gauche à droite ou le contraire (cas de l'arabe, de l'hébreu) ou de haut en bas (mongol), ou au système d'écriture (alphabet, idéogrammes...), à l'absence de voyelles écrites (arabe), etc. Donner des stratégies de lecture sur des types de textes variés (publicitaires, journalistiques, etc.) avec des outils tels que des grilles lexicales, permet ainsi le repérage de marques de l'énonciation, de marques du discours (le point de vue inscrit dans le texte), de cohérence textuelle.

Le texte est alors un *tissu* de formes signifiantes, et la lecture est une *activité d'interprétation motivée* (Moirand, 1982) qui suscite une réaction chez le lecteur : elle participe d'un acte utile, mais doit être aussi susceptible d'engendrer le plaisir. Et la littérature retrouve toute sa place dans une telle conception.

Stern (1992) fait remarquer combien le texte littéraire est adapté à une activité communicative : il met en contact avec un locuteur natif qui a quelque chose à dire ; il crée un milieu original et stimulant ; il est l'exemple d'une langue authentique qui véhicule un message chargé de sens. Tout dépend en réalité du traitement qui est fait en classe de ce texte : analyse, critique, discussion, dramatisation…

Parmi les pistes empruntées par la didactique, aucune ne lui est spécifique (Adam, in Coste, 1994) : stylistique, sémiotique littéraire, où l'œuvre est un système de signes fonctionnant comme une langue et s'inscrivant dans la dimension historique et sociale, polyphonie du texte (Bakhtine), rhétorique, etc. Mais jamais l'enseignement de la littérature en classe de langue étrangère n'est resté en dehors des grands débats. On évoque (Verrier, in Coste, 1994) trois vagues successives : le consensus idéologique (le texte est un prétexte à transmission d'un savoir) ; le rêve d'une science de la littérature nourrie de sciences humaines et dont l'objet est le fonctionnement du texte lui-même ; enfin, la réception des textes par le lecteur, ce qui devrait nous intéresser, dans la perspective d'une pédagogie interculturelle.

Il semble que, du côté de la production d'écrit, en revanche, la parenthèse méthodologique ait été longue : « De toutes les compétences visées par l'enseignement des langues étrangères, l'expression écrite est certainement celle qui a connu, ces dernières années, le plus faible développement », écrivait-on (Kahn, 1993). Les choses n'ont-elles pour autant pas bougé ? Il est vrai que certains exercices classiques de production (description, narration, dissertation) ou de transcription (dictée), en L2 comme en L1, ne sont pas des réponses directes aux futurs besoins langagiers de l'apprenant, et il n'est pas sûr même qu'ils donnent des outils conceptuels réutilisables ailleurs.

Apprendre à produire des textes diversifiés, liés à de nouveaux besoins, devient donc un objectif explicite. La classe est désormais censée donner la primauté à des activités portant sur des documents authentiques et associant plusieurs supports : dessins à légender, transcription ou reformulation d'une écoute, commentaire d'un tableau, mise à l'écrit de la règle d'un jeu, correspondance scolaire, etc.

Les pratiques de classe font place à la *créativité* de l'apprenant, à sa capacité de penser autrement. Produire relève alors d'un plaisir et d'une technique, quand des « matrices de texte » sont proposées, à l'instar de la morphologie du conte (Propp), des nouvelles de Calvino, des romans de Perec, des poèmes d'Apollinaire (« Il y a… »). Des jeux de société, des débats, des dramatisations, des simulations (« Vous partez sur une île… ») joignent l'oral à l'écrit. La « pensée divergente » associe, dissocie, enrichit, révèle l'originalité de chacun.

De longue date, des points importants ont été soulignés (Moirand, 1982) :

- l'apprentissage doit tenir compte du rapport à l'écrit antérieur en L1, de ses aspects proprioceptifs (entraînement à la graphie, alphabet, motricité, sens de l'écriture avec des difficultés variables selon les langues) tout autant que du traitement du thème dans son organisation discursive ;
- l'écriture permet d'échapper à l'instantané et au contexte, elle stimule l'abstraction et l'esprit critique, elle est processus cognitif autant qu'interactif ;
- pas plus que dissocier écrire et parler, on ne peut dissocier lire et écrire. Une didactique de l'écrit doit être intégrative ;
- il y a lieu, enfin, d'être attentif aux spécificités de publics de cultures et de traditions orales (travailleurs migrants, par exemple, auxquels nos exigences d'écrit

posent de grandes difficultés) ou, au contraire, de tradition écrite forte aux yeux desquels tout apprenant de langue est d'abord un « lettré » (cas du chinois).

Ce qui préoccupe désormais, c'est le processus de production langagière et, d'autre part, les représentations sociales qui sont attachées aux types d'écrit (Dabène, 1990). On est encore loin, pourtant, d'un *continuum scriptural* entre des pratiques ordinaires de l'écrit (l'utilitaire) et des pratiques d'exception (le littéraire). Le mot « lire » signifie toujours, pour la plupart, lire des livres, et seulement des livres, alors que le numérique fait accéder plus que jamais à un écrit diversifié (Vitali-Rosati), tant les moyens (tablette, liseuse), les formes (blogs, textos), les pratiques (tandem, réseaux associatifs) donnent lieu à des productions nouvelles.

V. – Évaluation

Évaluer, c'est donner une valeur, noter, apprécier. Le terme recouvre toute recherche visant à rendre objectifs les jugements de valeur portés sur l'apprenant. La *docimologie*, approche scientifique de l'évaluation, opère une distinction entre différentes formes d'intervention, généralement regroupées en sommative (ou certificative) dont la finalité est d'établir la somme des acquisitions et, éventuellement, d'établir un classement dans une population évaluée, ce qui implique réussite ou échec aux exigences de l'évaluation ; et en normative, qui compare les performances d'un individu aux objectifs assignés au début de l'apprentissage et vise donc, le cas échéant, à une remédiation au cours du processus de formation. Les tests de diagnostic ou de progrès mesurent ces acquisitions. Des tests pronostiques ou de niveau peuvent permettre de sélectionner ou d'orienter (TOEFL, JLPT, HSK, DALF…).

Le *testing* (un test est une épreuve standardisée) ne permet pas de vérifier l'existence d'une compétence à proprement parler, mais seulement les traits constitutifs de cette compétence, c'est-à-dire les effets qu'elle produit. Seul un outil d'évaluation valide (propre à mesurer un objet) et fidèle (constant au niveau de la construction, de la passation et de la correction, indépendamment des conditions du *testing*) peut donner des garanties de faible distorsion entre performance observée et compétence réelle. On fait généralement porter l'évaluation sur les quatre habiletés, compréhension et expression à l'oral et à l'écrit.

Les défauts de l'évaluation classique sont aussi connus : les attentes sont souvent mal explicitées (cas de la version où il n'y a aucun modèle idéal), les critères mal établis (en expression écrite, la forme et le fond), la notation inégale (l'interrogation orale), la motivation faible (en dictée, même note : zéro pour 5 ou 30 « fautes »), etc. Les procédures d'évaluation héritées du structuralisme et du béhaviorisme (Lado, 1961) ont apporté quelques progrès : *testing* de l'oral, caractère moins normatif, consignes plus simples, par exemple avec le questionnaire à choix multiples (« QCM »). On a aussi cherché à varier les outils d'évaluation pour diversifier l'observation et on en a multiplié les supports (se déplacer avec une carte routière, téléphoner, gérer son agenda). Il semble, d'autre part, judicieux de développer le sens de l'auto-évaluation et de l'autocorrection chez l'apprenant, de l'aider à objectiver ses repères. Apparaissent donc de nouvelles formes d'intervention : observation de l'interaction dans le groupe, évaluation collective, négociation.

On ne saurait plus, en tout cas, réduire l'évaluation à un contrôle des connaissances. Mais surtout, l'idée dominante est de considérer les facteurs humains – la qualité de l'interaction communicative, par exemple – et de ne pas se limiter à une procédure formelle. Bref, il faut voir d'abord en l'évaluation un *outil de régulation et d'optimisation* de l'enseignement (Porcher, 1994). Par ailleurs, dans un monde où règne la quantification, soulignons l'importance croissante attachée à sa fonction de sélection sociale (entrée à l'université, mobilité professionnelle, migration), telle qu'elle se dessine en particulier au regard de références internationales visant à l'harmonisation, par exemple celles du Cadre européen commun de référence pour les langues (Tagliante, 2005).

VI. – Culture et civilisation

L'enseignement des civilisations étrangères recouvre un domaine mal délimité. Il y a pourtant une demande pour que l'enseignement des langues soit davantage *culturalisé* (Kramsch, 1991). Mais, partant de théories et de définitions contradictoires, la didactique des langues serait bien en peine de proposer des pratiques unitaires en cette matière.

On observe en effet des clivages profonds, y compris entre « civilisation » et « culture », termes encore synonymes à l'époque de Tylor (1871), mais aujourd'hui d'extensions sémantique et idéologique différentes, le second étant moins connoté. Par commodité, nous dirons qu'un enseignement de civilisation ou de culture peut recouvrir trois types de problématiques :

– celle de la culture *cultivée* (art, littérature, histoire...), dont l'enseignement a souvent été marqué d'ethnocentrisme, une culture prétendant incarner l'universalité de la culture ou la supériorité d'une « civilisation » sur une autre ;
– celle de la culture *quotidienne* où l'on retrouve la conception anthropologique d'un ensemble de valeurs

partagées (Herskovits) et qui s'étend aux modes de vie, vêtements, alimentation, loisirs, etc. ;

- celle de la culture comme ensemble de contenus transmissibles (cela recouvrirait les deux domaines ci-dessus) ou à l'inverse définie comme un ensemble de structures, modes de penser et d'agir, règles constitutives permettant une approche de l'homme dans sa diversité.

On sent bien que ce qui donne son plein sens à cette problématique est la mondialisation des échanges. Entendons bien que celle-ci n'est pas nouvelle : à l'échelle du monde connu, Alexandre, la *Pax Romana*, Ibn Battûta, la route de la soie, l'esclavage et le commerce triangulaire ont eu autant d'effets sur le mouvement des idées, des valeurs, des marchandises. Ce qui est la source du changement global actuel, c'est une mobilité physique facilitée et le volume croissant des communications *virtuelles*, par les réseaux et globalement sur Internet.

Les questions ne manquent donc pas. Trois d'entre elles retiendront notre attention : les stéréotypes, la compétence, l'articulation langue/culture.

(a) On a vu apparaître des thèmes nouveaux (l'écologie, la diversité ethnique, la francophonie, par exemple), mais on observe encore, dans les manuels, des tabous culturels, en fonction de la sensibilité des lieux de diffusion et probablement de contraintes commerciales. On relève aussi bien des *stéréotypes* (Amossy, Herschberg, 1997), notamment sur le monde du travail, les rapports entre hommes et femmes, la société. Sexualité, politique, chômage, guerre, délinquance sont rarement ou partiellement évoqués. À quand des méthodes de langue qui intégreront la mort, ses causes, les rites auxquels elle donne lieu ?

Deux directions de travail sont possibles : combattre les stéréotypes, se servir d'eux pour reconstruire une image plus objective des faits culturels. Il s'agit d'enseigner une *grammaire* des comportements culturels, de donner des clefs, des repères : non des produits, mais des « procès de socialisation » sur des réalités changeantes. Ce sera donc à l'enseignant d'assurer une mise à jour constante des données et d'être, pour ses élèves, un « éveilleur ».

(b) La capacité à communiquer et à agir dans une langue étrangère appelle une *compétence transculturelle.* Il s'agit de créer une « mobilité » physique et intellectuelle « active » à travers l'acquisition d'une langue étrangère. Des modes d'éducation et de formation, en particulier par les échanges scolaires et universitaires, mais aussi la correspondance scolaire, la lettre-vidéo ou le théâtre favorisent ainsi la socialisation du sujet, sa construction comme acteur social. La découverte de l'altérité, la perception de « l'autre » et de « l'étranger », donne à tout individu l'occasion d'élaborer et de développer sa propre identité, et c'est un des thèmes importants de la *pédagogie interculturelle* et de l'enseignement d'une culture étrangère conçu comme processus interactif. L'action de l'Union européenne (Conseil de l'Europe, 2001, 2008, 2013) et celle de l'Unesco tendent à promouvoir une éducation interculturelle pour « encourager le dialogue entre les cultures [...] en faveur du respect interculturel et d'une culture de la paix (et...) bâtir des passerelles entre les peuples » (Unesco, 2005).

(c) Comment articuler *langue et culture* dans l'apprentissage ? On se demande si la progression doit être intégrée, parallèle, ou encore si l'on peut imaginer un curriculum dissocié. On créerait une dissociation si on adoptait un dispositif global d'enseignement des langues étrangères tel que chacune d'elles soit affectée d'objectifs différents dans le curriculum : par exemple, LE1 serait apprise avec une finalité communicative ; LE2 comme langue de culture et accessoirement véhiculaire ; LE3

comme discipline formatrice favorisant une réflexion sur la notion de code linguistique. Les didactiques des langues actuellement proposées à l'école reflètent déjà plus ou moins, d'ailleurs, dans leur esprit cette différenciation.

L'élaboration d'un *enseignement pluriel* (Lüdi, 1994) s'impose donc. Mais il devra s'intégrer à la méthodologie générale et savoir concilier les exigences si diverses que nous avons évoquées. D'une part, la culture quotidienne, qui correspond aux besoins des apprenants, celle de notre époque (rap, *street art* et manga) : doit-on lui sacrifier toute la culture héritée ? Celle-ci n'est-elle pas aussi demandée par de nombreux publics ? D'autre part, les compétences langagières et interactionnelles, nécessaires à une construction des schémas culturels, car on n'imagine plus transmettre simplement la culture. Comment former les enseignants à cette tâche ? Avec l'aide des technologies de la communication, hommes d'affaires ou ingénieurs se préparent déjà à la négociation commerciale ou au travail de laboratoire en équipe multiculturelle. L'école a les moyens de mettre en place une formation à ces compétences culturelles au moyen d'outils numériques (PowerPoint, Prezi, Keynote, etc.) et, surtout, d'un usage régulier (projet multimédia, classe inversée, etc.).

VII. – Didactique et gestion linguistique

À l'opposé de la gestion de l'apprentissage qui tend à s'individualiser, la *gestion du patrimoine linguistique*, la place et le statut des langues d'une communauté sont une affaire collective (Haugen, 1959 ; Calvet, 1996). Enseigner des langues étrangères fait partie de ce dispositif, et les prises de position du pouvoir politique, son interventionnisme en la matière ou non (politique *par défaut*), sont déterminants.

C'est l'action sur les langues que l'on appelle « politique linguistique » : action interne, sur l'équipement linguistique (néologismes, terminologie, écriture), action externe, sur l'environnement (statut officiel, lois, diffusion par l'école, promotion d'une langue à l'étranger).

(a) Les dispositifs d'*action de diffusion* à l'étranger oscillent, par exemple, entre le linguistique pur, le culturel associé au linguistique, le culturel pur. L'image des langues et la détermination que les apprenants ont à les apprendre relèvent, en fait, du portrait qu'en donne l'institution de formation, mais aussi du travail des associations d'enseignants, de représentations identitaires ou encore d'aspirations personnelles. Les décisions prises ensuite pour promouvoir telle ou telle didactique, comme c'est le cas pour la coopération et la diffusion linguistique et culturelle (Goethe Institut, Institut Cervantès, Institut Camoẽs, Institut français, Institut Confucius, Fondation du Japon...) doivent intégrer les paramètres du marché des langues : l'espace, l'évaluation des besoins réels et non celle des attentes des pays demandeurs, le temps, le partenariat avec les institutions locales. Il est donc clair que la didactique, à l'extérieur aussi, existe en interdépendance et ne saurait se définir *in vitro*.

(b) Les situations sociolinguistiques mentionnées au chapitre I (*langue seconde*, au sens collectif) mettent en contact des langues nationales ou locales vernaculaires et des langues d'enseignement (anglais, français). Aux Antilles, dans l'océan Indien, en Afrique (ACALAN), la notion de français ou anglais, langue seconde, amène à analyser les « fonctions, contenus, méthodes réservées dans le système éducatif [...] aux différentes langues » (Oliviéri). La spécificité de ces terrains a été étudiée sous l'aspect social et institutionnel, mais après différents travaux, et notamment en situation postcoloniale, les études relatives aux problèmes didactiques pourraient être encore largement

développées. Le débat touche toujours à l'emploi des langues nationales – on note aussi que certains pays d'Afrique sont revenus à un enseignement en français ou, à l'inverse, sont prêts à passer à l'anglais – et à l'émergence d'une méthodologie adaptée à ces pays : définition d'une « école de base », prise en compte des cultures nationales, pédagogie des « grands groupes », enseignement à distance par le numérique (rôle des *campus numériques*), « pédagogie convergente des langues » (Maurer, 2008). L'adéquation avec les attitudes sociales, en particulier celles des parents d'élèves, est une condition de la réussite d'une didactique.

La demande de scolarisation en français ou anglais est donc forte, mais enseigner des sciences dans une langue seconde signifie que celle-ci se voit investie d'une double mission : véhiculer des contenus et contribuer à la formation de l'esprit scientifique lui-même. On a, ainsi, pu parler d'un véritable « tournant de la francophonie scientifique », et la réussite de l'entreprise dépendra pour beaucoup des didactiques mises en œuvre. L'enseignement de certaines matières en langue seconde, dans les sections internationales des établissements français et dans les « programmes d'immersion » menés au Canada ou en Allemagne retiendront l'attention (Gajo, 2001).

(c) En Europe, la question du *plurilinguisme* se pose avec acuité, pour les institutions (Parlement, Conseil de l'Europe...), l'enseignement secondaire et supérieur, la mobilité intra-européenne des étudiants et des professionnels. Comme dans le monde entier, on note un accroissement de la demande de formation linguistique pour les sciences, le commerce, la technique, et un recul relatif du littéraire, ce qui aura des répercussions sur les institutions, les savoirs et savoir-faire des enseignants, la didactique. Situé dans un modèle général d'action politique, linguistique et axiologique, le

document fondamental déjà évoqué sous ses aspects méthodologiques, le « CECRL », trace les grandes lignes, définit les domaines et détermine les projets de l'Union, aux prises avec les défis de son plurilinguisme historique.

Le programme de travail du Conseil de l'Europe (on consultera son site) balise un certain avenir de la didactique, au moins pour cette partie du monde : redéfinition d'objectifs, choix technologiques et usage des médias, éducation plurilingue et interculturelle, échanges, méthodes, évaluation des niveaux de compétences permettant la comparaison et la mobilité. Il ne faut pas oublier que les langues entrent, dans chaque système scolaire, en concurrence, qu'elles « cultivent » leur image ou cherchent à en changer. Les didactiques s'en ressentent, qui sont plus « grammaticales », plus « communicatives », plus « culturelles », selon les cas. À l'école, avec 24 langues officielles, la question du choix de la première langue étrangère et celle de la place des langues européennes « modimes » (acronyme : moins diffusées et moins enseignées) restent préoccupantes (Moore, 2006).

Quant aux politiques à destination des *migrants*, elles révèlent une action souvent mal connue, sur la marge, parfois dénuée de continuité. Il est vrai que la demande est fluctuante et réclame des réponses rapides, au rythme des besoins, des conflits et des exodes. Au Québec, on appelle depuis longtemps à « la formulation d'une politique globale et claire » (Germain, 1993). En France, on peut se demander si les dispositifs d'accueil pour enfants ou adultes non francophones sont à la hauteur des enjeux sociétaux, malgré le dévouement des intervenants. Une réflexion de fond porte à la fois sur les méthodologies d'enseignement en langue seconde et sur les conditions socioculturelles de l'intégration.

(d) La mise en place d'un *enseignement précoce* des langues étrangères à l'école, en Europe, est une idée qui avance, mais souffre d'hésitations sur les objectifs exacts de l'apprentissage. On ne sait pas toujours (ou toujours pas) s'il s'agit de sensibiliser pour un choix futur, d'initier réellement, de susciter une ouverture culturelle, de donner une vraie éducation interculturelle. Sans doute un peu de tout cela. On note aussi un écart, selon les pays, entre les ambitions et les moyens affectés à des projets d'un intérêt pourtant considérable. Cette situation est d'autant plus regrettable que les chercheurs et praticiens ont largement progressé sur des approches plurielles et la diversification linguistique : intercompréhension, didactique intégrée, éveil aux langues, médiation sont les mots-clefs des recherches actuelles.

(e) Enfin, le développement d'un enseignement supérieur et, surtout, d'une recherche scientifique « tout-en-anglais », de la formation des chercheurs ou ingénieurs à la publication des travaux, fera partie des grands débats à venir. Il ne sera pas aisé de trancher sur cette question.

La difficulté, pour une institution nationale, est de parvenir à une conception claire et acceptée des finalités d'un dispositif. L'architecture du plan d'action, la didactique d'accompagnement doivent répondre à des contraintes qui ne convergent pas toujours : besoins sociaux des apprenants et représentations qu'ils se font de leur avenir ; capacités et développement intellectuel, culturel et affectif de ces apprenants ; finalités et moyens assignés par l'école et la société à l'apprentissage de telle ou telle langue. Le cadre géopolitique des politiques linguistiques éducatives reste déterminant, comme le montre l'exemple de l'Asie du Nord-Est (Chine, Japon, Corée), dans sa recherche simultanée de maintien des langues nationales, de diversification linguistique et d'acceptation de l'anglo-américain comme *lingua franca*, véhiculaire peut-être provisoire d'un monde multipolaire.

VIII. – Dispositifs innovants, approches alternatives

Les chantiers de la didactique tentent de répondre à l'usure des mots et des modes et au changement des besoins. Il est difficile de dire si les réponses, qui sont innovantes, mais sont loin, pour certaines, d'être récentes, bouleverseront jamais l'enseignement des langues. Les approches alternatives centrées sur l'homme et le groupe humain sont une première forme de réponse à l'insatisfaction que peut faire naître l'enseignement classique des langues.

Ces *approches* représentent pour certaines seulement des méthodologies constituées, d'autres sont une véritable *philosophie de l'esprit ou des rapports humains*. On ne saurait en donner une image honnête en quelques phrases. On mentionnera donc certaines des plus visibles, et on se bornera à dégager des lignes de force :

- apprentissage communautaire des langues (Curran, *Community Language Learning*, 1976) ;
- apprentissage autodirigé (CRAPEL, université de Nancy) ;
- approche naturelle (Krashen, Terrell, *Natural Approach*, 1983) ;
- méthode silencieuse (Gattegno, *Silent Way*, 1976) ;
- réponse physique totale (Asher, *Total Physical Response*, 1986) ou « Méthode par le mouvement » ;
- suggestopédie (Lozanov, 1978) ;
- pratiques pédagogiques d'ensemble, différenciées, individualisées (Freinet, Freire, Oury, Rogers, Steiner, etc.) ;

– pédagogie/démarche de projet associant au didactique objectifs relationnels ou sociopolitiques (Boutinet, 1993) ;
– dramatisation (Boal, 1977), Psychodramaturgie linguistique (Moreno, 1965).

Ce qui caractérise les démarches adoptées ici, c'est, d'abord, une absence fréquente de préoccupation purement linguistique, celles-ci ne dérivant d'ailleurs pas, pour la plupart, de la recherche des linguistes ; c'est ensuite un travail sur le processus d'apprentissage (prise de conscience du processus ou création d'un climat favorable) ; une perspective de formation de l'individu comme sujet (« acteur ») social et non seulement comme apprenant ; enfin, une approche globale, où l'on se refuse à dissocier théorie et pratique, où se manifestent les enjeux vitaux de l'individu et non simplement des besoins d'apprentissage, comme on dirait dans un cours de langue.

Un bilan des approches alternatives doit nécessairement être nuancé. Duda (1993) conclut à propos de quelques-unes d'entre elles citées plus haut qu'elles présentent des lacunes pour ce qui est de la compréhension orale et de la formation à l'apprentissage, surtout quand elles sont centrées sur l'enseignant. En revanche, elles lui semblent d'un grand intérêt pour la dynamique de groupe, ou encore sur le plan de principes tels que le droit de rester silencieux ou l'emploi de la langue maternelle.

Leur transposition à des situations didactiques en milieu scolaire – pour autant qu'elle soit envisagée – paraît souvent difficile, car les publics et la taille des groupes d'apprentissage, entre autres variables, y sont très différents. Les accepter ne va d'ailleurs pas de soi dans tous les contextes culturels. Certaines apporteraient un changement violent, peut-être une acculturation jugée intolérable, comme nous l'avons vu dans le cas de méthodologies bien moins audacieuses confrontées à des philosophies éducatives ou politiques peu prêtes à les recevoir. Les approches innovantes n'en sont pas moins positivement « dérangeantes » (Grandcolas), et si elles remettent en question nos systèmes, elles provoquent une réflexion indispensable.

Dès 1983, Pleines et Scherfer, tout en reconnaissant leur valeur, s'interrogent toutefois sur le fait que, souvent, elles « grossissent jusqu'à l'erreur un aspect partiel de l'apprentissage » et peuvent donner lieu à des déviations. C'est pourquoi ils rappellent, en tout état de cause, trois principes directeurs du travail didactique : « Partir d'une analyse fondée des paramètres politiques, sociaux et institutionnels du processus didactique ; ne pas négliger la réflexion sur les conditions de la communication verbale et la nature de la langue enseignée ; respecter l'apprenant comme un être humain qui apprend consciemment et qui est en mesure de penser et d'agir librement. »

IX. – Des TICE aux NBIC

C'est un autre front de l'innovation qui s'est ouvert depuis deux ou trois décennies, celui des NBIC. On sait que cet acronyme regroupe un ensemble technoscientifique qui inclut nanotechnologies, biotechnologies, informatique et sciences cognitives. Les NBIC qui font pourtant déjà partie de notre réalité semblent encore relever de l'utopie. Mais il serait illusoire de croire que l'innovation qui touche aujourd'hui la santé, le commerce, les médias, la société entière, épargnera l'éducation et particulièrement celle des langues. L'objet de cette section est évidemment limité à l'intérêt que les progrès technoscientifiques peuvent présenter pour notre domaine.

Les moyens techniques et les *technologies de l'information et de la communication* (TIC), plus tard les TICE (*appliquées à l'enseignement*), ont ouvert des perspectives. Leur essor est allé de pair avec celui des « industries de la langue » (Degrémont, 1982), terme désignant au départ les produits, techniques et activités qui appellent un traitement automatisé des langues naturelles. De façon plus ou moins directe, les techniques d'accès à l'information, la traduction automatique, la dictionnairique, la terminologie, la bureautique (un traitement de texte inclut déjà, pour le moins, un correcteur orthographique) enrichissent la didactique.

On peut parier qu'une utilisation plus systématique, structurelle même, sera faite des outils modernes de la communication appliqués à l'enseignement. Les supports et outils employés sont désormais bien connus ou en passe de l'être : toujours radio et télévision, bien sûr, vidéo (magnétoscope et caméscope), TBI (tableau blanc interactif), ordinateur (on parlait autrefois d'EAO, enseignement assisté par ordinateur), *smartphones* offrant courrier électronique et ressources documentaires illimitées (e-mail, texto, blogs, forums…). *Googliser* est entré dans le dictionnaire en 2014. Il s'agit en bref de tout ce qu'on appelle « multimédia », ressources souvent propres à un apprentissage hors cours (« apprentissage *nomade* ») mais que peuvent regrouper des centres de ressources linguistiques, médiathèques et « maisons des langues », intervenant souvent comme des espaces complémentaires de la classe (Guichon, 2012).

Les choses vont aujourd'hui bien plus loin. Les progrès des NBIC autorisent à concevoir et à mettre en œuvre des dispositifs qui auront sur les capacités d'appropriation de l'homme des conséquences quasi inimaginables : les travaux de neuroscientifiques, tels que Varela, Dehaene, Della Chiesa, Houdé et Minsky, offrent à notre connaissance du cerveau et, parallèlement, à l'intelligence artificielle des perspectives d'augmentation des compétences qui passent par toute une panoplie déjà opérationnelle ou sur le point de l'être. Ainsi, la mise au point de robots assistants tels que Nao (Aldebaran) ou Awabot, robot de téléprésence mobile en cours, les aides à la traduction proposées par des sociétés telles que Google ou NTT Docomo (lunettes susceptibles de lire les caractères japonais), le programme Watson d'IBM, voué à répondre à des questions de plus en plus diverses de l'apprenant, tout simplement en langage naturel. Mais encore l'implantation de puces intracorporelles ou la fabrication de molécules favorisant l'hyperattention, l'hypermémoire, testées dans le domaine militaire. Enfin, l'utilisation de mégadonnées recueillies sur l'apprenant et visant à mesurer ses capacités, ses faiblesses, à orienter ses efforts. On laisse à juger combien ce monde de l'apprentissage et de la culture fera l'objet de controverses (Martinez, 2017).

À l'origine, les questions que posent ces outils sont *méthodologiques* : on n'en est plus, heureusement, à transférer sur écran des « exercices à trous » faits jadis sur le papier, et l'interactivité n'est en général limitée que par des contraintes techniques, comme le suivi tutorial, ou la mémoire nécessaire. Elles tiennent aussi à la qualité des pratiques *sociales* engagées, sur lesquelles les acteurs de l'éducation ont à jouer un rôle déterminant en appui des pratiques spontanées des apprenants. Ces questions sont enfin d'ordre *cognitif*, dans la mesure où la communication instaurée par les NBIC induit un nouveau rapport au savoir et à l'acte d'apprendre dans une nouvelle configuration, qui dépasse le dialogue homme-homme ou homme-machine.

L'emploi des technologies modernes dans l'apprentissage des langues appelle donc des avancées instrumentales, et parallèlement un surcroît de réflexion, qui touche à la conception de l'éducation humaine, voire au *transhumanisme*. Aujourd'hui, bien sûr, on peut en relativiser l'impact effectif observable dans les classes, au vu des réalités matérielles et sans doute de la lenteur que met souvent une évolution à se faire. L'incantation au changement ne vaut rien sans formation des esprits à de réelles pratiques et ce changement surviendra. Une *déscolarisation* partielle de l'enseignement des langues pourrait en résulter, que manifestent déjà l'importance des échanges linguistiques (souvent extrascolaires), les pratiques informelles des élèves sur les réseaux et l'abondance de matériels consacrés à une diffusion autonome des langues (portfolio, jeux « sérieux », outils parascolaires).

On glisserait vers l'autoformation dirigée ou les autoapprentissages, et vers une évolution du rôle de l'enseignant dont « la mort » a souvent été annoncée : ce rôle devrait en toute hypothèse évoluer, mais non disparaître, si, du moins, une certaine logique commerciale ne devient pas le seul credo. Un *changement des cultures éducatives* entraînera sans doute une dévalorisation des outils et des dispositifs traditionnels, et un fossé croissant entre la didactique institutionnelle et les attentes des apprenants. Le schéma traditionnel « une classe, une heure, un professeur » y survivra-t-il ?

Le danger que court une telle didactique serait de ne s'intéresser qu'à des publics relativement riches, motivés, sachant apprendre et en mesure de réinvestir leurs acquis. Elle doit aussi résolument s'atteler à une tâche de scientificité accrue, portant sur la spécificité et les attributs des outils, sur les contenus, les matériaux, les interactions pédagogiques. Cette tâche se doublera d'une obligation éthique : réfléchir à une juste gestion des moyens consacrés à l'enseignement, évaluer l'impact sur le milieu ambiant avant toute extension. La *fracture numérique* si profonde entre sociétés à différents stades de développement économique (Mvé-Ondo, 2005) cédera peut-être la place à une *humanité augmentée* par la technoscience nouvelle, plus riche de possibilités (Sadin, 2013), ce que Michel Serres appelle *hominescence*. Mais ce sera au prix d'une révolution civilisationnelle, sur laquelle porte déjà la critique (Biagini *et alii*, 2007 ; Bihouix, Mauvilly, 2016).

X. – Enjeux actuels, recherche et formation

Nous avons vu que la didactique constituait un champ en voie de constitution et de stabilisation. C'est, en effet, un domaine à la recherche de sa *scientificité*. La didactique n'est ni une science ni une technologie, mais une *praxéologie*, c'est-à-dire une recherche sur les moyens et les fins, les principes d'action, les décisions. Sa tâche est complexe : élaboration de savoirs qui seront transposés de savoirs savants en savoirs enseignés ; appropriation de ces savoirs ; intervention didactique proprement dite. Les modèles didactiques sont des « constructions théoriques à visée à la fois théorique et/ou praxéologique » : ils permettent de comprendre les principes de construction des objets didactiques, de proposer un cadre de pensée, de réfléchir à ce qui est fait ou n'est pas fait dans les classes (Delcambre, in Reuter (dir.), 2007).

Le domaine n'a, pour l'heure, qu'à peine ébauché sa transversalité, son *in-discipline* : doit-il y avoir une didactique générale et, étant donné le caractère original de la langue comme objet à enseigner, des didactiques spécifiques ? Doit-il même y avoir une didactique pour chaque langue, en vertu encore des spécificités propres de celle-ci ? La question a trouvé jusqu'ici de timides réponses théoriques (Lehmann (dir.), 1988), mais, à de notables exceptions près, ni la didactique de terrain, ni les formations à l'enseignement ne semblent pressées de faire cause commune, non bien sûr pour déterminer une position universaliste, mais pour travailler ensemble à comparer des différences et à y réfléchir.

C'est aussi un champ à la recherche de son *équilibre*, avec des enjeux et des conflits, où règnent une certaine instabilité (le partage des compétences entre didactique et pédagogie, etc.) et des effets de mode pour masquer les carences, parfois, de réelle formation. Les contradictions y suscitent une tension et aussi une aspiration à la compatibilité, même si l'on observe un certain découragement et la tentation de l'éclectisme radical. Des distorsions se font jour entre la méthodologie circulante, celles des classes, et les méthodologies constituées au-dehors.

Les facteurs d'évolution n'obèrent en rien une logique de la circularité. La réapparition d'éléments méthodologiques ou d'approches anciennes est toujours possible, en particulier sur les publics de plus en plus spécifiques que nous connaissons. La mort du manuel qui avait été annoncée dès le début des années 1970 n'est en rien survenue. Il s'est juste adapté. De même, il y a un discours de la didactique et un discours sur la didactique qui ne se recouvrent pas. Coste (1986) va jusqu'à écrire que la didactique pourrait bien être confondue « avec un ensemble de discours ordonnés en fonction de six pôles : la production de savoirs, la vulgarisation de connaissances, le "comment faire" en classe, la commercialisation d'outils d'enseignement, la mise en œuvre d'une politique linguistique, le dogme d'un courant méthodologique ou d'une chapelle pédagogique… ».

Aujourd'hui, la contrainte dominante est celle de l'efficience, du rapport coût/résultats : on veut faire plus vite et mieux, car les enjeux économiques et sociaux pèsent de tout leur poids sur la majorité des systèmes de formation. La réussite de l'apprentissage en langue seconde des publics issus de l'immigration, par exemple, conditionne leur réussite dans presque tous les apprentissages. Elle constitue un pari vital, en termes de formation professionnelle et d'intégration, pour les intéressés et les sociétés où ils ont leur place. Les critères de rentabilité sociale imprègnent de plus en plus les choix didactiques. Les prédictions sont trop imprudentes pour être de quelque intérêt et nous n'en ferons pas, mais nous pointerons du doigt l'importance croissante des dispositifs technologiques innovants, déjà soulignée à plusieurs reprises dans cet ouvrage. S'il fallait distinguer, parmi les systèmes éducatifs, ceux qui réussiront à mieux enseigner les langues et ceux qui ne le sauront pas, là est, pour nous, la pierre de touche. Certes, beaucoup de décideurs le disent déjà, mais on attend d'en voir une concrétisation qui dépasse l'expérimental, avec une transformation des pratiques de masse. Pour le moment, la « révolution numérique » ne joue guère sur la structure du programme ou du curriculum.

Nous pouvons maintenant examiner les *conséquences* de cette situation d'instabilité, voire de conflit, et de recherche d'équilibre sur les institutions et les hommes. La rigidité des programmes, d'abord, fait que la durée et le rythme de travail scolaire ressemblent à des contraintes immuables. Peut-on apprendre une langue étrangère trois heures par semaine pendant des années tout en acceptant comme un postulat qu'il n'y a pas besoin de motivation réelle en milieu « captif » ou qu'on ne fera rien de cet apprentissage ? Le cas échéant ne faudrait-il pas réorganiser le « montage » pédagogique et didactique ? Une expérience linguistique d'immersion régulière, par exemple, ne seraitelle pas plus profitable ?

Quant aux enseignants, leurs compétences et leur statut sont en profonde évolution (Kelly, Grenfell, 2004) : que reste-t-il du professeur de lettres (étrangères) dans ses fonctions d'enseignant de langue ? Et, corollairement, quelle place la formation didactique, initiale et surtout continue, prend-elle dans le parcours des enseignants ? Les choix didactiques recouvrent en fait des déterminations institutionnelles et idéologiques fortes, et souvent non explicites. La globalité de son intervention, les aspects complémentaires de son travail imposent à l'enseignant de connaître, bien sûr, de manière satisfaisante la langue et la culture étrangères ; mais aussi d'apprendre à l'élève (qui attend des résultats) à communiquer utilement ; enfin, de contribuer largement à une éducation générale, en proposant des outils pour « apprendre à apprendre » et une ouverture transculturelle ou interculturelle. C'est une vaste tâche.

Selon le beau mot d'un universitaire, Jean Peytard, « enseigner à l'autre, c'est *altérer* une parole [...] L'enseignant propose, en l'altérant, une thématique originelle, et de cette parole altérée, il fait autre la sienne, qui transformera à son tour celle d'autres ». L'enseignant ne saurait remplir une fonction « substitutive » (on n'apprend pas à la place de l'apprenant), mais il participe, dans ce qu'on appelle un « agir professionnel » (Jorro, 2006), à cette construction qui définit l'acquisition de L2.

Il s'agit d'abord de donner les moyens d'élaborer des connaissances à partir de schèmes cognitifs personnels et dans des dispositifs adaptés à ces schèmes. Cela signifie que l'apprenant doit être reconnu dans sa spécificité et que les dispositifs didactiques doivent être diversifiés. Cette conclusion amène à un double débat sur :

- une *pédagogie différenciée* en fonction des apprenants, pédagogie qui doit sans cesse éviter l'écueil de l'idéalisme et celui de l'impuissance : idéalisme de la réussite qu'on voudrait permanente, impuissance née des conditions matérielles qui sont souvent celles de l'enseignement des langues ;
- des *lieux de recherche et de formation à l'enseignement et à la traduction* qui ne séparent pas, comme trop souvent aujourd'hui, universités, instituts pédagogiques, stages

pratiques, associations professionnelles de chercheurs et praticiens, centres de recherche sur l'éducation comparée, revues, colloques et expositions. Sans doute, l'instrument privilégié d'une évolution positive sera-t-il la « recherche-action », visant à l'innovation (Barbier, 1996). L'avatar en sera une science participative, collaborative, « citoyenne » (Rapport Houllier, 2016), et des Laboratoires Vivants (*Living Lab*), « environnements ouverts d'innovation en grandeur réelle, où les utilisateurs participent à la création des nouveaux services, produits et infrastructures sociétales », que l'éducation en langues ne saurait ignorer. Une approche à la hauteur des enjeux, appuyée sur des bases de données numériques, s'impose.

Le domaine aura vécu successivement trois révolutions profondes en moins de cent ans, avec la prééminence de la linguistique, l'irruption des sciences de la société, la mutation inéluctable qu'annoncent les NBIC. L'horizon d'attente de cette réflexion est orienté par une philosophie de l'éducation en langues. Il est celui d'une *didactique réticulaire*, que nous pouvons définir sommairement comme fonctionnant sur la base de réseaux de réalité (Heisenberg, 1942), en constante restructuration et appuyée sur le numérique, la neuroéducation et l'architecture curriculaire. À coup sûr, les voies d'accès sont nombreuses vers une *didactique générale* du futur, que l'on imagine forte de son histoire, de son questionnement scientifique et de son éthique sociale.

Conclusion

Il en va de la didactique comme de notre monde : la *situation* en est *contrastée*. « C'est le temps de l'imagination et du bonheur pédagogiques », écrivait un didacticien suisse. Mais aussi, juste à côté : « Ici, on crève d'opulence ; là, on crève de faim. Tout est, évidemment, toujours plus complexe. » Une réflexion didactique est, selon nous, de plus en plus envisageable, une didactique prescriptive et monopoliste de moins en moins acceptable.

Le tour d'horizon que nous venons de faire, si difficile soit-il, n'impose en effet aucun dogmatisme. Rappelons simplement que la course vers de nouvelles méthodologies a souvent pris l'allure d'un abandon irrationnel à la mode. De notre traversée au long cours de la didactique, nous retenons ces mots d'un inspecteur de l'éducation africain, dont le discours n'était pourtant pas celui de l'immobilisme : « Heureusement, nous n'avons pas les moyens d'acheter vos dernières méthodes. Vous les considérez déjà comme périmées. C'est un moindre mal si nous passons directement aux suivantes, qui, d'ailleurs, font retour sur celles du passé. »

C'est pourquoi la réflexion ne saurait être close. En attendant les prochaines évolutions que nous avons dessinées, l'enseignant de langues est engagé dans un processus continu de remise en question. La recherche de scientificité à laquelle tend la didactique implique parallèlement l'extension des ressources offertes et le développement de l'esprit critique. Tout passera donc par la formation et l'information.

Certes, la didactique reste bien une tentative de réponse à l'insatisfaction née de l'aléatoire, un essai de mise en forme et une recherche du faisable dans la transmission de compétences. Mais en dernier ressort, le dégagement de solutions techniques ne saurait faire oublier les *finalités profondes de l'action* qui prend place dans un environnement physique, matériel et surtout humain toujours unique. Les enseignants de langue sont des éducateurs et doivent à tout prix rester des passeurs de cultures et d'idées.

Quand, en 1669, Louis XIV fondait à Paris l'École des langues orientales, alors appelée « École des jeunes de langues », il rêvait de grande diplomatie. Le Roi-Soleil s'était donné l'ambition de former ainsi des « truchements », appelés à l'époque « drogman », des interprètes (en arabe : *turjuman*). Les défis actuels ne sont pas de moindre envergure. Les langues représentent les moyens de la paix comme de la guerre, et la gestion que nous ferons du plurilinguisme conditionne aussi l'avenir de notre monde. Or, la répartition inégale des ressources disponibles pour l'éducation en général posera à certains pays des problèmes insurmontables, s'ils s'engagent – ou si on les incite à s'engager – dans des systèmes d'enseignement coûteux et inadaptés. On aura vu dans ce volume que la didactique exige la mémoire de son passé, une veille technologique intense et une profonde philosophie éducative.

Les progrès scientifiques et technologiques qui reconstruisent l'espace didactique, et dont nous avons dit quelles promesses et quelles utopies ils recèlent, ont un impact déjà perceptible : une homogénéisation des procédures d'intervention qu'on peut aussi appeler un nivellement des différences culturelles. Il ne nous apparaît pas que quiconque ait le droit d'imposer la mondialisation de ce processus. L'innovation, difficile à faire passer (Carless, 2013), ne doit sans doute pas être refusée, mais elle doit être choisie et contrôlée. Et la question trouve sa place, pour commencer, dans la réflexion éclairée de l'enseignant et dans la classe de langue.

BIBLIOGRAPHIE

Allwright D., Bailey F., *Focus on the Language Classroom. An Introduction to Classroom Research for Language Teachers*, Cambridge UP, 1991.

Baker C., Prys Jones S., *Encyclopedia of Bilingualism and Bilingual Education*, Clevedon, Multilingual Matters, 1998.

Beacco J.-C., Byram M., *Guide pour l'élaboration des politiques linguistiques éducatives en Europe. De la diversité linguistique à l'éducation plurilingue*, Strasbourg, Conseil de l'Europe, DPL, 2003.

Bérard É., *L'Approche communicative. Théorie et pratiques*, Paris, CLE International, 1991.

Besse H., Porquier R., *Grammaire et didactique des langues*, Paris, CREDIF-Hatier, « LAL », 1984.

Blanchet P., Chardenet P. (dir.), *Guide pour la recherche en didactique des langues et des cultures. Approches contextualisées*, Paris, AUF/EAC, 2011.

Boucher A.-M., Duplantié M., LeBlanc R. (dir.), *Pédagogie de la communication dans l'enseignement d'une langue étrangère*, Bruxelles, De Boeck, 1988.

Bourdieu P., *Ce que parler veut dire. Économie des échanges linguistiques*, Paris, Fayard, 1982.

Calvet L.-J., *La Sociolinguistique*, Paris, Puf, « Que sais-je ? », 1993 ; rééd. 2017.

Carless D., « *Innovation in Language Teaching and Learning* », in Chapelle C.A. (éd.), *Encyclopedia of Applied Linguistics*, Londres, Blackwell, 2013.

Castellotti V., *La Langue maternelle en classe de langue étrangère*, Paris, CLE International, 2001.

Cook V., *Second Language Learning and Language Teaching*, Londres, Arnold, 1991.

Coste D. (dir.), *Vingt ans dans l'évolution de la didactique des langues (1968-1988)*, Paris, CREDIF-Hatier, « LAL », 1994.

Coste D., Moore D., Zarate G. (dir.), « Compétence plurilingue et pluriculturelle », *LFDM, Recherches et Applications. Apprentissage et usage des langues dans le cadre européen*, numéro spécial, Vanves, Hachette-EDICEF, 1998.

Cuq J.-P. (dir.), *Dictionnaire de didactique du français langue étrangère et langue seconde*, Paris, ASDIFLE-CLE International, 2003.

Ellis R., *Understanding Second Language Acquisition*, Oxford UP, 1995.

Fishman J., *Sociolinguistique*, Paris, Nathan, 1971.

Gajo L., *Immersion, bilinguisme et interaction en classe*, Paris, Didier, « LAL », 2001.

Galisson R., Coste D. (dir.), *Dictionnaire de didactique des langues*, Paris, Hachette, 1976.
Germain C., *Évolution de l'enseignement des langues : 5 000 ans d'histoire*, Paris, CLE International, 1993.
Hamers J., Blanc M., *Bilingualité et Bilinguisme*, Bruxelles, Pierre Mardaga, 1983.
Hawkins E. (dir.), *Thirty Years of Language Teaching*, Londres, CILT, 1996.
Hymes D.H., *Vers la compétence de communication* (trad. F. Mugler), Paris, CREDIF-Hatier, « LAL », 1984.
Jakobson R., *Essais de linguistique générale*, Paris, Seuil, 1963.
Johnson R.K. (dir.), *The Second Language Curriculum*, Cambridge UP, 1989.
Kelly A.V., *The Curriculum. Theory and Practice*, Londres, Sage, 2004.
Klein W., *L'Acquisition de langue étrangère* (trad. C. Noyau), Paris, Armand Colin, 1989.
Kramsch C., *Interaction et discours dans la classe de langue*, Paris, Didier, 1991.
Krashen S., *Principles and Practice in Second Language Acquisition*, Oxford, Pergamon, 1982.
Lehmann D. (dir.), *La Didactique des langues en face à face*, Paris, Hatier-CREDIF, 1988.
Lüdi G., Py B., *Être bilingue*, Berne, Peter Lang, 1986.
Mackey W.F., *Principes de didactique analytique* (trad. *Language Teaching Analysis*), Paris, Didier, 1972.
Martinez P., Miled M., Tirvassen R. (dir.), « Curriculum, programmes et itinéraires en langues et cultures », *LFDM, Recherches et Applications*, n° 49, 2011.
Moirand S., *Enseigner à communiquer en langue étrangère*, Paris, Hachette, 1982.
Moore D., *Plurilinguismes et école*, Paris, Didier, 2006.
Noyau C., Porquier R. (dir.), *Communiquer dans la langue de l'autre*, Paris, PU Vincennes, 1984.
Nunan D., *Language Teaching Methodology. A Textbook for Teachers*, New York-Londres, Prentice Hall, 1991.
Perdue C. (dir.), *Adult Language Acquisition : Cross-Linguistic Perspectives*, vol. 2, *Field Methods, The Results*, Cambridge UP, 1993.
Puren C., *Histoire des méthodologies de l'enseignement des langues*, Paris, CLE International, 1991.
–, *La Didactique des langues étrangères à la croisée des méthodes : essai sur l'éclectisme*, Paris, Didier, 1994 ; rééd. 2013.
Reuter Y. (dir.), *Dictionnaire des concepts fondamentaux des didactiques*, Bruxelles, De Boeck, 2007.

Richards J.C., Rodgers T.S., *Approaches and Methods in Language Teaching. A Description and Analysis*, Cambridge UP, 1986.

Richterich R., Widdowson H.G. (dir.), *Description, présentation et enseignement des langues*, Paris, CREDIF-Hatier, « LAL », 1981.

Roulet E., *Un niveau-seuil*, Strasbourg, Conseil de l'Europe, 1977.

Simpson J. (éd.), *Routledge Handbook of Applied Linguistics*, Londres, Routledge, 2013.

Stern H.H., *Fundamental Concepts of Language Teaching*, Oxford UP, 1983.

Stern H.H., Allen P., Harley B. (dir.), *Issues and Options in Language Teaching*, Oxford UP, 1992.

Tagliante C., *L'Évaluation et le Cadre européen commun*, Paris, CLE International, « Techniques et pratiques de classe », 2005.

Widdowson H.G., *Une approche communicative de l'enseignement des langues* (trad. K.G. Blamont), Paris, CREDIF-Hatier, « LAL », 1981.

Winkin Y. (éd.), *La Nouvelle Communication*, Paris, Seuil, « Points », 1981.

Zarate G., Lévy D., Kramsch K. (dir.), *Précis du plurilinguisme et du pluriculturalisme*, Paris, EAC, 2008.

REVUES

Alsic, Apprentissage des langues et systèmes d'information et de communication : www.alsic.revues.org

ELT Journal, Oxford UP.

International Journal of Applied Linguistics, AILA, Oslo, Novus Forlag.

Revue AILE (Acquisition et interaction en langue étrangère), PU Paris-VIII.

Revue canadienne des langues vivantes, Toronto, University of Toronto Press.

Revue Langages, Paris, Larousse.

Revue Études de linguistique appliquée (ELA), Paris, Didier Érudition.

Revue Language Teaching, Cambridge UP.

Revue Le Français dans le Monde (LFDM). Francophonies du Sud. Recherches et Applications, Paris, CLE International.

Revue Les Langues modernes, Paris, APLV (Association des professeurs de langues vivantes).

TESOL (Teachers of English to Speakers of Other Languages) Quarterly, Washington, Georgetown UP.

The Modern Language Journal (MLJ), Madison, University of Wisconsin Press.

SITES

ACALAN : www.acalan.org

CILT : *Centre for International Language Teaching*, Londres : www.ciltuk.org.uk

Collège de France (S. Dehaene) : www.college-de-france.fr/site/stanislas-dehaene/symposium-2014-11-13-09h05.htm

Conseil de l'Europe : www.coe.int/lang ; www.linguanet-europa.org/y2/

DGLFLF : Délégation Générale à la Langue Française et aux Langues de France : www.dglf.culture.gouv.fr

FIPLV : Fédération internationale des professeurs de langues vivantes : www.fiplv.org

OCDE, *Comprendre le cerveau. Naissance d'une science de l'apprentissage*, 2007 : www.oecd.org/fr/sites/educeri/ceri-cerveauetapprentissage.htm

SIL Ethnologue : *Languages of the World* : www.ethnologue.com

Unesco : fr.unesco.org

Union européenne : ec.europa.eu/education/policy/strategic-framework.fr

Della Chiesa B., « La neurodidactique des langues », en ligne : https://vimeo.com/130961301

TABLE DES MATIÈRES

Composition et mise en pages
Nord Compo à Villeneuve-d'Ascq

Imprimé en France
par la Nouvelle Imprimerie Laballery
rue Louis Blériot 58500 Clamecy
novembre 2017 - N° 710369

La Nouvelle Imprimerie Laballery est titulaire de la marque Imprim'Vert®